哲学漫想

Yamazaki Masakazu
山崎正和

中央公論新社

哲学漫想

目次

I

Ⅳ

V

哲学漫想

I

哲学漫想1

味覚の現象学

味覚喪失の体験

今年の新春、私は思いがけなく喉頭前部、扁桃腺《へんとうせん》に癌《がん》ができていることを告知された。扁桃腺は小さいとはいえ癌は癌だから、ほうっておけば他器官への転移の可能性もあり、地つづきに拡大すれば声帯が冒されて声を失う心配もある。医師は即刻、この種の癌に最適応とされる放射線治療を受けるように薦めた。昔、子供の扁桃腺は簡単に手術で取る治療が施されていた覚えもあるのだが、成人の癌の場合、なぜかそうはゆかないらしい。他方で抗癌剤よりは放射線は副作用が少なく、私の場合のように局所に限定された癌にはより即効性があるという説明には、納得がいった。

結局、私は放射線照射のなかでも進歩した方式、ＩＭＲＴという機械を使う施術を受けることにして、その装置のある病院に移って通院を始めた。ＩＭＲＴは見るからにものものしい仕掛けで、一斗樽《いっとだる》もありそうな放射線治療器が三台、患者のからだの周りをゆっくりと回転するようになっている。患者は透明なベッドに寝て、顔は金属の網状の仮面によって固定され、寸分の身じろぎもできない姿勢を取らされる。そうすることで放射線は狭い範囲に集中して照射され、効果が高まるうえに副作用は軽減されるという工夫である。

一回の施術時間はわずか数分、痛くも痒《かゆ》くもない楽なものだが、週に五日ずつ七週間にわたってつづき、全体では三十五回におよぶという長丁場である。おまけに驚いたことに現場の看護師の直前の説明によれば、このＩＭＲＴを使っても、放射線被曝《ひばく》の副作用はけっして軽視できない。体質にもよるが、口内炎や皮膚炎、全身の倦怠《けんたい》感に襲われる可能性は大いに高いらしい。とくに危険なのは口内炎で、最悪の例では喉頭奥の腫脹《しゅちょう》から食物の嚥下《えんげ》ができなくなり、鼻から管を通して栄養物を胃に送られる患者もあるという。

なんとなく約束が違うという感も否めなかったが、今さらたじろいでもしかたがない。運を天に任せて、私は一回も休まず往復一時間の通院を貫徹し、照射の終わり以前に癌の消滅の診断も受けることができた。そこまではよかったのだが、問題はやはり副作用の後遺症であった。幸い最悪の事例は免れたが、四週目を過ぎるころから口内炎と倦怠感の兆候が現れ、治療の全過程が終わったときにははっきりした喉の痛みを感じていた。

しかしそれよりも意外で困惑したのは、じつは先ほどの看護師も予言しなかった未知の副作用、私の生涯で聞いたこともない苦痛に見舞われたことであった。一言でいえば、味覚不全というか味覚の麻痺《まひ》、食べたものの味がほとんど感じられないという症状である。後で調べたところ、この副作用はかなり普遍的に見られるらしいが、知らずに襲われた私にとっては文字通り青天の霹《へき》靂《れき》、何が起こったのかわからない動顚《どうてん》の体験であった。

味覚不全の諸症状

最初、私の口内はたえず塩っぱさに溢れ、純粋な真水を含んでも塩味を感じるという状態であった。それでも生きるのにやむをえないから食物を口に入れると、わかるのは塩味の濃度の違いだけであって、甘味も旨味《うまみ》もまったく消し飛んでいるのだった。面白いことに嗅覚はまだ生きていて、たとえば浅草海苔を囓《かじ》ると、紙をしゃぶるような感触にもかかわらず、香りはしっかりと鼻をうった。

一週間ばかりすると、さすがにこの惨状はやや緩和されて、単純にはっきりと甘いものは甘く、苦いものは苦く感じられるようになった。だがその甘さは奇妙に厚さが薄く、口内でも直接に舌や口蓋に触れている部分だけが甘いのであった。説明が難しいが、口内のいわば中心の部分、食物の塊の全体が含まれている場所は、ぽっかりと穴があいたようであった。もちろん私は歯と舌を使って食物を口内でかき混ぜているのだが、食物は攪拌《かくはん》されても、味が攪拌されているという感触が起こらないのである。しかたなく私は咀嚼《そしゃく》した食物を飲み込むわけだが、当然のように、ここでも喉越しの快感というものは感じられない。

いいかえれば麻痺した私の味覚には動的な力がなく、もっぱら触れた対象を感じるという受動性のみが残っているようであった。したがっていけないのは牛や豚や鶏のような肉類、パンやケーキや米飯のような固形食品、要するに噛まなければ味のしない通常の食物のほとんどである。噛むと水茹《みずゆ》での蒟蒻《こんにゃく》を噛むような索漠感を味わうわけだが、この不快は治療完了後二か月たったころまで執拗《しつよう》につづくことになった。当初、私はみずからを誤解していて、雑炊をすすりながらこれは唾液の分泌不足を補っているのだと考えていた。

たしかに唾液の分泌も不足していたが、暫《しばら》くしてわかってきたのは、もっと大きく損なわれているのは私の一種の運動感覚だということだった。気づいたのは、私の味覚がまず受動的なかたちから回復を始め、たとえば汁物なら、「旨味」のようなかなり繊細な味でも感じられ始めたという事実だった。コーヒーと紅茶はもとより、すましと味噌汁、肉の煮汁と魚の煮汁など、口内に流れこんでおのずから均一に広がる対象の味は相当程度にわかる。これにたいしてまったく不十分なのは、私の能動性を必要とするような味覚、噛みしめてはじめて食物のなかから搾りだされるすべての味なのである。

本来の味覚の姿とは

味覚はきわめて複雑な現象だが、さしあたって確実なのは、これが常識のいう対象の感覚像ではないということだろう。難しい議論は後回しにして、これがどういうことかを理解するには、試みに一片のビーフステーキを味わう場面を想像してみればよい。

私たちは通常、一片を適当な大きさに切って頬張るはずだが、まずこの一口の大きさの適切性という点に問題の本質を垣間見ることができる。一片が大きすぎれば肉は喉に詰まって苦痛の対象になるだろうし、小さすぎればそれはステーキではなく挽肉の一粒という別種の対象に変わっているだろう。これがいわゆる対象の感覚像ならそんなことは起こらず、大きさの変化がただちに質の変化につながったりすることはないはずである。

この事実はいいかえれば、味覚には人間の身体が関わっているということであり、身体が真に関わるのは対象の感覚像ではないということにほかならないが、そのあたりの事情はステーキをさらに食べ進めてゆけば、おのずからわかってくるにちがいない。

私たちは誰しも頬張った肉片を噛みしめ、口内に広がる肉汁が舌から歯の根に広がり、しだいに喉へと落ちてゆくのを感じながら幸せを覚える。そのさい肉汁は自然に喉へと流れて口内からは減少してゆくのだが、不思議なことに、私たちの幸福感はその減少にまさに反比例して増大するのである。そしてこの満足が至高の域に達するのは、やがて私たちが砕けた肉の線維《せんい》とともに肉汁の最後の一滴を飲みくだすときであって、まさに口中が空虚になった一瞬である。私たちは舌鼓を打って「うまい」と呟《つぶや》き、間髪《かんはつ》を入れずに次の肉片に手を伸ばすだろうが、そのとき舌のうえにはもはや何らの感覚の対象もないのである。

拙著『リズムの哲学ノート』を読んで頂いた読者には明らかだろうが、この味覚の生成過程はいちじるしくあの「鹿《しし》おどし」の運動に似ている。肉汁の美味はあたかも鹿おどしの水受けにも似て、ゆっくりと口中の隙間を満たしつづけ、一定の閾値《いきち》に達した瞬間に急転と呼ぶべき効果をあげる。美味が喉を駆けくだる刹那の速さは、鹿おどしの水受けが跳ねて石を打つ速さを連想させる。そしてこの高揚の一瞬は、どちらの場合も、それまでの運動に明確な中断をもたらすのである。

鹿おどしが一転するとき水流が途切れるように、美味が喉をくだるとき咀嚼の連続運動はいやおうなく中断される。咀嚼の反復がほぼ等速の流れをつくっていたのにたいして、嚥下という異質の営みはそれを断ち切る分節点として働く。しかもふたたびいずれの場合にも注意すべきは、この中断が逆に流動の前進する力を強めることになるという逆説である。鹿おどしの水流が堰《せ》き止められることによって強まるように、咀嚼もまた嚥下に堰き止められることによって、次の肉片を嚙みしめようとする衝動を強めるのである。

リズム運動としての味覚

もはやいうまでもないほど明白だが、味覚とはリズム運動そのものにほかならず、美味とはすべてのリズムが伴うあの快感の一種以外の何ものでもない。そのさいもちろん軽視できないのはすべてのリズムと同様、この運動にも媒体として感覚的対象が伴い、たとえば俗に「五味」と呼ばれる甘、鹹《かん》、酸、辛、苦といった刺激を提供している、という事実である。それをいえば音楽には楽器の音という媒体が欠かせず、絵画には絵具の線や色が不可欠であるのと同じだろう。だがこうした感覚刺激をただ受容するのが味覚ではなく、またしても音楽や美術の場合と同じく、それらをいわば躍動させる営みが快感を生むのだという事実は、それ以上に確かである。これこそ私が味覚不全の回復初期に身をもって知った真相であり、汁物以外の味がわからないという苦痛のなかで思い知った教訓であった。

かねて力説してきた通り、リズムにとって決定的に重要なのは運動の能動性と受動性の両立、正反対の力性が拮抗《きっこう》しながら、そのことによってむしろ互いに強めあっているという特色である。水の波のリズム運動は水という媒体の重さを引きずり、その抵抗に阻まれながら、まさにその受動性のゆえに上下に弾むのであった。もし水の抵抗がなく、リズムが受動性の側面を持たなかったら、運動は弾むことなくただ滑るにすぎないだろう。味覚の場合も咀嚼と嚥下が能動的に働く一方、甘さ鹹《しおから》さなど「五味」の感覚刺激は受動的な口腔《こうこう》内に停滞して抵抗しようとする。この両者の均衡こそが快感を生むのであって、またさらに子細に見ると、その快感がますます両者の均衡を促すように働くようである。

咀嚼運動の最小単位は顎が上下する二拍子からなり、いわば強弱格（trochee）を刻んで進行するが、通常、その進行は自動的に維持されているように感じられる。顎は美味の快感に誘われておのずから動くのであり、その強さも速さもそれによって内発的に調整される。やがて美味は鹿おどし現象を起こして新しいリズム単位を形成し、それぞれの単位ごとに完結しようとする傾向を見せる。一片のステーキを頬張って飲み込むまでの運動も一単位なら、一枚のステーキの全体を食べる過程も完結した単位をかたちづくる。味覚の運動はこの点では、自然の生理現象というよりはむしろ藝術制作に似ており、すでに文明内部の現象になっているといえるだろう。

そのうえ文明社会ではステーキは単独で飽食されることはなく、通常、さまざまな付け合わせを伴うだけでなく、オードヴルやスープに始まるコースのなかで提供される。味覚のリズムはこのコースのうちに躍ることになり、ステーキの味はますます肉片の感覚刺激から遠ざかって、「ディナー」と呼ばれる全身的な体験の絵図のうえに浮かびあがる。そしてこの全身の捉える絵図がゲシュタルトの「図」と名づけられ、感覚刺激とまったく異質の現象であることについても、私は『リズムの哲学ノート』で解説を試みた。

ゲシュタルトとしての味覚

そこで強く主張したことだが、ゲシュタルトの「図」は従来それと考えられてきた感覚刺激に代わって、すべての知覚と認識の根源と見なされるべきものである。感覚刺激は分析によって要素に分解され、その要素の足し算によって現象の全体をつくると見なされてきたが、ゲシュタルトの「図」はおよそ要素の分解にもその加算的統合にもなじまない。それは最初から一枚の不可分の絵柄として顕現し、そのままつぎつぎに交替することによって世界の全体をかたちづくる。

「図」の顕現も交替も自動的、内発的に起こり、しばしばその運動そのものがリズムを刻みながら、きわめて動的な世界像を形成するのであった。

こうした現象と世界を知覚するのは身体であって、同じ身体のまま主体にも客体にもなりうるその両面性にほかならない。このことは旧来の心理学がしてきたように、視覚のゲシュタルトを中心に考えていると、ややわかりにくいかもしれない。視覚は眼球の働きに依るところが多いが、眼球は身体のなかでも全身からの独立性が強く、その運動が身体の活動だという印象を与えにくい器官である。眼球を動かす筋肉の動きは微弱にしか感じられないし、瞳孔の拡大縮小にいたっては、身体と無関係にまったく反射的に生じる。その結果、視覚はとかくその主体的な側面だけを捉えられ、誤って矢印型の志向的意識、眠りも鈍りもしない観念的な意識の端末と見なされる傾向が強かったからである。

この伝統的な視覚中心主義を排し、現実に活動している身体のゲシュタルトを観察すれば、拙論が言わんとしていることの意味は明らかだろう。たとえば身体が生産労働に従事して、目的や手段、環境に働きかけているときの状況を見るがよい。そのさい「図」として前面に顕現するのはその目的、手段、環境であって、身体そのものは「地」として裏側に隠れている。ところが身体は疲れやすく倦《う》みやすいものだから、時がたつと身体は労働に苦痛を覚え、その苦痛がしだいに「図」となって目的や手段と交替する。一つの身体のなかでゲシュタルトの「図」と「地」、いいかえれば身体の客体性と主体性はじつになだらかに内発的に交替するのである。

このことを念頭にふたたび味覚の観察にもどると、まさに味覚もゲシュタルトとして現れるものの、ただその内部の「図」と「地」の交替がきわめて速く、ほとんど重なり合って現れていることがわかる。これは触覚についても比較的よく見られる現象であって、たとえば両手の人差し指どうしを擦《こす》り合わせたとき、どちらの指が「図」になるか「地」になるかは瞬時に交替する。味覚の場合はこれが極端に速く、交替そのものが感じられないほどであるのがむしろ普通だといえる。

あまりにも自明で滑稽な話だが、美味に酔い全身を震わせている人に向かって、そのとき「図」になっているのが舌や喉の感じなのか、それとも食物そのものの感じなのかを問うほどの愚問はない。この味覚の不思議さをゲシュタルト理論全般のなかにどう位置づけるかは難題だが、思いきって大胆になれば、この理論にとって「図」と「地」の区別ははじめから本質的ではなかったのだ、といえるかもしれない。けだし不可分の全体として、内発的に浮かび上がる現象であることだけがゲシュタルトの本質であり、その一部の限られた領域にのみ両者の区別と、その交替があると考えを改めるわけである。

『リズムの哲学ノート』の段階では私はそこまで大胆になれず、ただ「図」と「地」の中間状態、両者の移行形態があることを示唆するにとどまっていた。だが味覚という主題に遭遇して新しい視界が開けた今、「図」と「地」の区別はそもそもが視覚中心主義の病弊であって、真のゲシュタルト理論はそこから脱却してもよいのではないか、という思いが頭をかすめ始めている。そして視覚中心主義の哲学から脱却するということは、とりもなおさず観念論哲学の呪縛、イデアの哲学の桎梏《しっこく》を断つことを意味するのである。

消費活動としての味覚

もう一つ味覚を主題として考える場合、重要なのはそれが生産ではなく、消費のリズムを支えている事実に注目し、その事実の意味を見定めておくことだろう。

先にゲシュタルトを知覚するのが全身であることを指摘したさい、私が説明のための例に引いたのは生産活動であった。生産においては働く身体にたいしてその目的と手段、さらに環境が対立して、互いに「図」と「地」の関係に立って交替しあうのであった。はたしてこの構造は常識が消費と呼び、生産とは正反対と見なす活動にもあてはまるのだろうか。また常識は漠然と、味覚といえば消費のなかで機能するものと捉えているが、いったい消費とはそもそも何であり、とりわけ味覚とどう関わるものなのだろうか。

こんな疑問を提起するのは、じつはまったく意外なことに、生産と消費は従来の哲学でも経済学でも明快に定義されたことがないからである。どちらもものかたちを変え、価値を転換する活動だが、この二つが正反対と見なされる根拠は何かを、明確に答える学問はこれまでなかったのである。たとえば食事は消費か生産かと尋ねても、それは一面では食物を消耗する活動であり、しかし同時に労働力を再生産する活動でもあるから、経済学には答えの出しようがなくて当然だろう。

三十数年前、この実情に驚いた私はやむをえず自分で定義にとり組み、常識を洗いあげるかたちで一応の答えを出して、それを『柔らかい個人主義の誕生――消費社会の美学』という一冊に書いた。そこで私が着目したのは活動とそれにかかる時間との関係であり、効率と反効率という対概念であった。煩瑣《はんさ》に振り返るのは避けることにするが、ひと言でいえば私の見るところ、効率を重んじて事を急ぎ、価値の転換にかかる時間を最小限にするのが生産であり、逆に効率にさからって先を急がず、価値転換にかかる時間を引き伸ばして最大限にしたがるのが消費なのであった。

きわめて常識的な定義であって、これによれば同じ食事でも、時間を惜しんでがつがつと食べるのは労働力の再生産であり、ゆっくりと時間をかけて、味覚を楽しみながら食べるのが真の消費ということになる。単純なようだが、これで生産と消費が正反対の行動であるゆえんも明らかになるし、しかも同一の行動が両方の意味を持つように見え、しばしば論者の混乱を招いてきた理由も説明できるだろう。

これを定義したさい私はまだ自覚していなかったが、今になって思えばすでに早くから私は味わうという行為、味覚の能動的な働きを文明論上の重要な鍵として考え始めていたようである。ついでながら、この段階で私は味わい方を鍵として消費を定義する一方、つとに味覚を消費という一つの行動のかたちとして捉えていたことが思い出される。

味覚の特有のゲシュタルト構造

前々節の後半において、私は味覚のゲシュタルトには「図」と「地」の区別が薄弱であって、むしろそのことに哲学上の積極的な意味がありそうだと予想した。今、味覚を消費の原理として位置づけ、その消費を生産と対比し始めたことによって、先の予想はますます補強されつつあるといえそうである。およそ消費活動全般にわたって、そのゲシュタルト構造には生産が招くような「図」と「地」の区別は惹《ひ》き起こされないからである。

生産に従事して働く身体は一定の環境のもとで、特定の目的をめざし、必要な手段を駆使して活動する。先に触れたように、そこで「図」となって前面に浮かぶのは目的と手段であり、身体そのものの感触は「地」と化して背後に沈む。脚注までにいえば環境はその中間にあって、目的、手段の環境として「図」になることもあれば、身体の環境として「地」の延長にもなる。

この状態で身体はいわば「われを忘れて」働くわけだが、やがて身体はおのずから内部に困難を抱えて立ち止まらざるをえなくなる。厳密にはこの困難には二種類があって、一つは肉体の疲れと心の倦みであり、二つには身につけたはずのスキルがなぜか滑らかなリズムを失うことである。いずれにせよ仕事がゆきづまって、目的と手段への没頭ができなくなったとき、代わって「図」として浮上するのがこの苦渋する身体なのであった。われを忘れていた身体がわれを思い出すわけだが、ここには明確な転換があるといえる。

これに比べると味覚の参加する消費活動にはこの区別も転換もなく、消費する身体にはそのときどきに唯一にして独占的な「図」が浮かびつづけている。すべての消費がいわば目的とし、身体にとってゲシュタルトの「図」となるのは快であり満足だろうが、正確には消費にとって快も満足も未然の目的ではなく、消費の発端からすでに現在の身体の内部に実現している。もちろん消費する身体も飽きたり倦んだりはするものの、そのさいも身体は消費をやめるだけであって、別の「図」に直面するわけではない。「図」は消失するのであって、生産の場合のように内発的に別の「図」に換わるのではない。

もっといえば消費は満足が達成されて快が果てたとき、つまりは身体が飽きて倦んだときに成就するのだから、逆説的だが、消費の「図」は消失するために発生するとさえいえるかもしれない。ついでながら満足が少しずつ達成され、しだいしだいに快が膨らみ、ついに飽和点に達して一気に終わる過程は、まぎれもなく「序破急」のリズムの標本を見るような印象を与えるはずである。そしてこのリズムは消費のなかでもとくに味覚の満足、飽食と満腹の過程に典型的に現れることは、いまさら念を押すまでもないだろう。

生産のスキルと消費の行儀作法

こうしてゲシュタルトの構造の点では対蹠《たいせき》的な生産と消費だが、いずれも人間の行動のかたちである以上、当然、両者は互いをつなぐ共通点も持っている。そしてそれがすべて動くものの秩序をつくり、流れるものに構造をあたえるリズムであることは、『リズムの哲学ノート』の読者にはいわずもがなの念押しだろう。人間の行動にかぎっていえば、このリズムはそれに守るべき規則を与えると同時に、反面、慣習化された自在さ、習癖のような淀みなさをも与えることを、同書ではとくに生産の分野で観察し、このリズムの現れを技術的な「スキル」と呼んでおいた。

生産の効率という観点から見たとき、このスキルはまず生産量あたりの必要時間を短縮するが、同時に過度に急いで仕事に遺漏が生じないように、短縮に歯止めをかける役割もする。要は技術にとってもっとも適切な速度を定め、それを守らせるべく身体を内から制御するのがスキルであって、有能な職人なら誰しもがスキルを身につけ、それを磨きなおすために練習という行動に励むのであった。

ここで新たに注意すべきは、じつは消費にもリズムによる同様の時間管理の仕組みがあって、それが消費の適切な速さを定めて身体を制御するということである。技術のスキルにたいして、私はこの仕組みを「行儀作法」と名づけることにしたいが、もちろん用語そのものには「スキル」を含めて拘泥はない。「嗜《たしな》み」でも「躾《しつ》け」でもよいし、拡張して「社交の慣例」でもよいかもしれない。

いずれにせよ、これが消費の速度を適切に制御するということは、とりわけて味覚の寄与する食事を例にあげるとわかりやすい。食事は楽しみであるから身体はとかく満足を急ぎやすいが、あまりに急ぎすぎると満足は達成されて飽きに転じる、という逆説はすでに述べた。それを知る身体は通常、満足を遅らせて楽しみの時間を引き延ばそうとするが、これまた過度に及ぶと快は稀薄《きはく》になって、本来の充実と高揚感を失うことになる。

そこで身体は中庸を選び、速すぎもせず遅すぎもしないリズムに乗ろうとするのであって、そのさい頼もしい手引きとなるのが礼儀作法なのである。礼儀作法は規範であり約束事であって、身体の習慣と共同体の仕来りのなかに保存される。この点では作法は技術のスキルと同一であって、多くの面で両者には共通するところが多い。ともに言語や記号で記録することが可能であり、それを生きたリズムへ活性化するためには、練習という特殊な行動をとることが必要なのであった。

言語化され記号化されたスキルには、たとえば音楽や舞踊の記譜、公演全体のプログラム、絵画や彫刻の素描、生産作業の仕様書、手順書などがあげられるが、さらに広く解釈すれば、工場の施設や機械の配置、敷地内の通路や公道の敷設まで、いずれも共同体によるスキルの記号化と見ることができる。そしてまったく軌を一にして、味覚文化の作法もまた、広範にして多様な行動の環境をつくりあげるのである。

極限まで典型的な味覚文化——茶の湯

もちろん味覚文化の作法も、その出発点は素朴な躾けと嗜みにあって、しっかりと嚙むこと、箸やフォークやスプーンを適切に操ること、杯盤狼藉《はいばんろうぜき》を避けて食事の量も節制することなどが教えられる。だが文化が高度化するにつれて、規範や約束事も複雑さと広範さを増し、記号化しうるような仕様と手順が共同体に共有されることになる。近代にはメニューという観念が現れ、献立の種類、その提供の順序まで常識として確立された。

西洋料理ならレストランという設備とともに、メニューの一般的な型が制定され、オードヴル、スープ、肉や魚介の主菜、そしてデザートという一連の流れが慣習化した。日本ではとくに茶の湯の懐石料理が発達するなかで、簡素なものから豪華絢爛《けんらん》たるものまで、多様なメニューが定式化された。メニューという手順書にはたんに料理提供の順序が明記されるだけでなく、暗黙裏ながらきわめて強力にそれを賞味する速さが指定されている。そこには賞味者と料理人の共感、宴席を囲む賞味者の社交、それらすべての紐帯《ちゅうたい》を支えるリズムが記号化されているのである。

それにしても刮目《かつもく》に値する事実だが、茶の湯という味覚文化は、およそ味覚文化の本質とはどういうものか、常識に反するその独特の性格とはどういうものか、ここまでの拙論の主旨をほとんど極端なまでに具現化しているように思われる。茶の湯はその作法の定式化の過程で、感覚刺激としての対象の味を極限まで等閑視し、代わりに身体全体の賞味活動、そのリズムを極大に顕現させる仕掛けを用意してきたように見えるからである。

松江には今日、「独楽庵」という茶室が保存されているが、これはもと千利休の手で創建され、松平不昧《ふまい》に珍重されたことから天下に知られ、そのゆかりによって現在の地に復元されたものである。一畳半のこの茶室には外露地、中露地、内露地と呼ばれる三つの庭園が付設されている。それぞれの露地には定められた用途があって、客は外露地の小屋で着替えをし、中露地で相客と会って言葉を交わし、内露地で主人の合図を待ったうえで、手を洗ってにじり口を潜るように指定されている。露地はたんなる空間ではなく、茶の湯の賞味者の行動の舞台、その手順を決めるメニューとして働くのである。行動の流れは各露地を仕切る冠木門《かぶき》によって堰き止められ、典型的な三分節のリズムをつくるのだが、それが序破急を思わせるところも面白い。

江戸時代の中期、この独楽庵で不昧がどのような社交を演出し、どのような会話を愉しんでいたかは私は知らない。だが管見の及ぶかぎり、近世から近代にかけて茶の湯の作法は定式化をおし進め、袱紗《ふくさ》の畳み方、炉の炭の継ぎ方まで、あらゆる動作の型を定めてきた。新人はこの型を正確に踏襲しながら、しかもそれが踏襲に見えない自然な流麗さを帯びるまで、厳しい練習（稽古）を求められる。その練習の過程ではそれを味覚文化の一部として感じとり、抹茶や煎茶の味を思い浮かべる新人は一人としていないはずである。味覚文化の徹底した洗練の極致が、ついに感覚刺激としての味覚を完全に追放したのであって、これは文明世界でも稀《まれ》に見る逆説というべきだろう。

さらに現代の作法は茶席での会話、その内容のあらましまで芝居のせりふのように定式化しているが、何より面白いのは、そのなかに懐石料理のできばえ、もっとも肝腎な茶葉の選択を評する一節がないことである。私の短見でなければ、茶葉についての言及は客の「お詰めは？」という質問と、茶業者の名前を告げる主人の答えがあるばかりである。ちなみにあの千家の周辺には、茶道具を納入する職人の家が世襲されていて、十種類あることから「千家十職《じっしょく》」と呼ばれているが、なかには柄杓《ひしゃく》や一閑張《いっかんばり》の職人の家が含まれているのに、茶葉の業者も懐石料理の職人も見あたらないのは、象徴的というほかない。

今後の茶の湯がどんな方向に発展するか、現代人の嗜好《しこう》を受け入れてやや世俗化し、茶席で料理や茶菓の美味について語りあう場面が一般化するのか、予言することは難しい。だがかりにその方向に進んだとしても、近世から現代にかけての数世紀、茶の湯がかくも類例のない社交の姿を築きあげ、その姿でいわば「味覚の現象学」の挿絵を描きだしてくれたことは、永く文化史に残るだろう。

リズムの媒体としての肉体・再考

本稿のここまでの叙述では、私は『リズムの哲学ノート』で展開した論調の範囲内にとどまり、リズムを記述する主要概念についても修正や補強を加えることはしなかった。だが本稿を書く動機となった病苦のさなか、じつは私の念頭を脅かして離れなかったのは、ひょっとすると『ノート』のなかの基本概念の一つ、リズムの「媒体」の概念に補正を加えなければならないかもしれない、という懸念であった。

リズムに乗って生きる身体にとって、それを運ぶ媒体となるのは生理的な肉体だが、病中の私はこの媒体たるべき肉体がにわかに叛逆《はんぎゃく》を起こし、身体を押しのけて猛威を振るう惨状を体験したからである。

病身のうえに立ち現れた肉体は、明らかに通常の物理的な媒体、たとえば海流を運ぶ水塊や浜辺の砂とは違っていた。砂や水はエネルギー不滅の法則にしたがい、右からはいった力と同等の力を左に伝えるだけだが、肉体は生理的な反射と比べてもそれ以上の反応、肉体そのものの内から生じる自力を発揮しているとしか見えなかった。速い話が、身体が味覚不全に陥って賞味の判断ができないなかで、肉体は少なくとも甘、鹹、酸、辛、苦という五味の違いを明らかに判断していた。私の舌はグルタミン酸ソーダの溶液に浸せば、何の喜びも高揚感も覚えないままに、しかし旨味という感覚刺激だけは判断したはずである。

身体と肉体とのこの奇妙な関係を、いったい原理的にどのように位置づけなおせばよいのだろうか。『ノート』では私は両者が死を仲立ちにして結ぶ宿命的な絆《きずな》に着目し、二つのリズム単位が輻輳《ふくそう》して「私」という特殊なリズム単位を形成するものと考えた。そこでの私は身体が壊れたときのことまでは考えおよばず、非常時にあたって肉体が身体の「代理」をするなどとは想像もしなかった。しかし今、味覚というリズムの新しい分野に直面し、しかも味覚が壊れた状況を観察するにいたって、肉体がリズム媒体として持つ特殊な性格、リズム論全体における独特の位置づけを考えなおす必要があるのかもしれない、という懸念が芽生えたのである。

『リズムの哲学ノート』の補強に向けて

考えなおすとすれば、それには肉体を身体の媒体として捉えたままで、しかしそれ自体を一つの独自のリズム単位、身体とは別のリズムの分節単位として位置づける考え方があるだろう。現に、『ノート』の「私」論のなかで、二つのリズムの輻輳という表現を用いたとき、私の念頭には肉体を独立のリズム単位と見る発想が揺曳《ようえい》していたにちがいない。ここではこの発想を延長して、リズム単位としての肉体を正面から子細に観察すればよいはずだが、そうすると今度はまた違った問題が頭をもたげる心配がないわけではない。

なぜなら生理的肉体を一つのリズムの現れ方として見ると、いいかえれば流動性と分節性の関係の観点から見ると、肉体は身体と比べて明らかに分節性の側面が強く、流動性の側面が弱いからである。分節性とはリズムの素描的な側面、構造的、規則的な側面のことであって、いわば絵に描いて細部を見分けられるような側面といいかえてもよい。『ノート』では私はこの契機をリズムの観念的性格と呼び換え、流動性をその事物的性格と呼んで両者を対比しておいた。だがそこでは私の分析はまだ原理的な次元にとどまり、現実の顕現の次元でこの区別を認めるところには至っていなかった。生理的肉体を独自のリズム単位と認めるのは、その意味で『ノート』の次元から踏み出すことになり、私として微《かす》かな不安を伴わないでもないのである。

疑う余地がないのは、常識と科学の世界に現れる生理的肉体が、絵に描いて細部を見分けられるような構造性に貫かれているということである。それは最小単位の細胞にはじまり、内臓、脳神経、血液、結締《けってい》組織など、それぞれ類的個物と呼べる部分の加算的全体としてできあがっている。もちろんこの全体は単純な加算の産物ではなく、現に死んだ肉体の部分を解剖学的に繋《つな》ぎあわせても生きた肉体は蘇《よみがえ》らない。やはりそこには「生命」としか名づけようのない流動性が加わり、リズム単位としての全体が形成されていなければならないのは、当然である。しかしそれを認めてもなお、生理的肉体が分析可能な構造を明示しており、科学的法則に従って運動するように見えることには、議論の余地はあるまい。

そしてこの肉体がおこなう「判断」もまた分析的であり、要素を加算するかたちで決定をくだすことは先に述べた。感覚刺激としての味を「五味」と旨味に分析し、多様な味のすべてを成分の加算として説明するのが肉体であった。これも不思議ではなく、「判断」などといっても所詮はリズムの「現象」なのであって、世界の随時、随所に立ち現れるものにすぎないのだから、分節性の勝る肉体を場所として現れる判断が、それ自体、分節性を強く現すのは自然というほかはない。

残る問題は、さて世界にはこのような生理的肉体に似たリズム単位がほかにもあるか、いいかえれば分節性の強いリズムと流動性の強いリズムの対比は、どこまで普遍的なのかということである。管見の及ぶ範囲では、今のところ生理的肉体はきわめて特殊な存在であって、これに構造の類似したリズム単位は見あたらないようであるが、少なくとも理論的な探索は続けなければならないだろう。

関連して第二の問題は生理的肉体の範囲をどう決めるかであって、私はこれを身体との関係で人間の肉体に限定しているが、科学はこの限定に挑戦するかのように霊長類の肉体について語っている。ここでも私の逃げ道は一応『ノート』に用意してあって、私はおもにその第八章で哲学の万能を排し、知的世界の支配を常識と哲学とで等分することを提案している。そのさい私は暗黙裏に科学を哲学よりは常識の延長、洗練を極めた常識として位置づけたつもりだが、もしこの位置づけが正しければ問題は回避できる。しかしこの学問論、科学論にはもちろん反論の余地があるだろうし、私自身、さらに考察を深めねばなるまい。

「味覚の現象学」が思いがけず『リズムの哲学ノート』の反省にまで立ち至ったが、ここまできてあらためてリズムの両義的本質、流動性と分節性の対比を直視する機会にめぐりあって、今、私の記憶には面白い歴史的事実が浮かびあがっている。というのは歴史を振り返ると、両側面のうち分節性のほうは常識の世界に広く顕現してきたのにたいして、流動性の側はもっぱら哲学の世界にしか現れてこなかったことがわかるからである。H・ベルクソンの「純粋持続」にしても、W・ジェイムズの「意識の流れ」にしても、純粋に流動するものはなぜか哲学者の念頭にしか顕現せず、孤独な哲学者はそれを常識の世界に説明するのに悪戦苦闘したのであった。

今、私の心を打つのはそうした哲学の孤独を慰めるかのように、哲学も常識のいずれもそうとは知らぬうちに、太古の昔からリズムが自然に人類世界を覆い、その両義性を通じておのずから二つを繋いでいたという事実である。

（了）

〔『アステイオン』第89号、二〇一八年十一月〕

哲学漫想2

ショーペンハウアーの冒険と逡巡――『意志と表象としての世界』精読

二百年の毀誉褒貶

「デカンショ、デカンンショで半年ゃ暮らす、後の半年ゃ寝て暮らす」

第二次大戦前、旧制第三高等学校の生徒が愛唱した俗謡の一節である。もとは丹波篠山《ささやま》地方の民謡であったものを、なぜか三高生が好んでわがものとし、二番以下の替え歌まで作ってことあるごとに放歌高吟したという。面白いのは、そのさい彼らが「デカンショ」を本来の意味とは違うと知りながら、なんと「デカルト、カント、ショーペンハウアー」の略だと称していたと伝えられることである。

戦前の若き選良の衒学癖《げんがくへき》が哲学に傾いていたことを示す逸話だが、とくに注目を惹《ひ》くのは彼らがショーペンハウアーの名に親んでいたことだろう。これから彼について考えなおそうとしている私にとって、このことはいささか感慨を誘うエピソードなのである。

というのは、デカンショ節で彼と並ぶデカルトやカントとは対蹠《たいせき》的に、ショーペンハウアーはけっして西洋近代哲学史のヒーローでないばかりか、むしろ長らく異端児扱いされる存在だったからである。本人の狷介《けんかい》で激越な言動のせいもあって、彼はフィヒテ、シェリング、ヘーゲルと続くドイツ観念論の正統派から疎外され、満足な講壇に職を得ることもできなかった。主著である唯一の包括的な著作である『意志と表象としての世界』も、初版の売れ行きは不本意なものだったし、晩年の短い数年を除けば、彼を本格的に再評価しようという動きは見られなかった。

その後、彼の二元的な主題設定がニーチェに影響を与え、有名な「アポロン的」「ディオニュソス的」という対概念を生んだことは広く知られている。また彼の「意志」の観念の力動的な内容に目をつけ、彼を「生」の哲学の元祖に位置づけようという見解もないではない(『ブリタニカ国際大百科事典』電子版)。とはいえ、しかしたとえばヘーゲルとは対照的に、哲学史のなかに彼を評価する系統的な試みの流れはないし、むしろ彼を完全に無視する空白期がたびたびあった。ある意味では現在もまた、その空白期の一つかもしれない。

おまけにショーペンハウアーには長く一つの誤解がつきまとっていて、彼を親しんで読もうという一般読者の意欲を妨げてきた。彼が人生観のうえで悲観論者であり、社会と実生活について虚無主義者だというのがそれである。後に見るように、じつは彼はニヒリストどころか素朴なまでの理想主義者であって、その理想の立場から俗社会の凡愚を非難したにすぎないのだが、たぶん彼の性癖というべき過激な言辞が誤解を招いたのにちがいない。この誤った印象は、ときとして東洋の幼い青春の感傷を擽《くすぐ》ったかもしれないが、やはりおとなの読者の関心を妨げたと考えたほうが尋常だろう。

こう見るとこの哲学者はおよそ幸福な文筆家とはいえないものの、反面、なぜかしたたかに生き延びてきたのも事実である。彼がかち得た評価の歴史については、中央公論「世界の名著」のために『意志と表象としての世界』を翻訳し、解説も書いた西尾幹二氏が詳しく報じている。この翻訳の原典となったコッタ・インゼル社版は一九六〇年に出ているが、その後はまた半世紀余り、めだった重版や他の書店による出版があったとは聞かなかった。ところが二十一世紀にはいって理由はわからないが、あらためて出版界の珍事というべき事態が起こっているようである。

二〇〇九年にドイツで、二〇一一年にイギリスで、さらに二〇一四年にはふたたびドイツでと、じつにつごう三回も彼の主著の出版が続いている。第一のアナコンダ社版は一八五九年刊の改修版の復刻、第三のニコル社版も同じ原本の再版だが、こちらは二〇一六年にも重刷を出す成功を収めた。第二のノブ・プレス版はやや安易ともいえるが、一八一八年にフラクトゥーア書体（亀《かめ》の甲《こ》文字）で出た初版をそのままにコピーし、新装の表紙をつけて製本した骨董品である。一八一八年といえば正確に今から二百年前に当たるが、こうした近況を見ると、これがまたどんな反響を得ることになるか、ショーペンハウアーをめぐる毀誉褒貶《きよほうへん》は終わりそうにもない。

一元論と二元論――世界把握の起源

とはいえ今、あらためてショーペンハウアーを読み直そうという動機は、いうまでもなくこのような時事的な事情にあるわけではない。私は昨春『リズムの哲学ノート』という長編評論を上梓《じょうし》したが、じつはそれを書き進める過程でいつともなく、脳裏に浮かぶ通奏低音のような観念があるのに気づいていた。管見によれば、リズムは「流動」と「分節」という二つの正反対の観念を内に含み、両者の緊張と相互補強によって成立する現象であった。そのことを繰り返し語りつづけるなかでしだいに思いだしたのは、これに似た観念の二項対立は過去の哲学史のなかにも現れ、結論は異なりながらそれぞれ有意義な展開を見せていたという事実である。ついに『ノート』の筆を擱《お》くころ、私はこのいわば二元論的な思考方法そのものについて関心を奪われていた。

この思考法のもっとも古い先例は、たぶん中華文明の根幹を支配し、東洋世界の全体に伝播《でんぱ》した「陰陽」対立の思想だろう。起源はあまりに古すぎてわからないが、日向と日陰という常識的な対概念を洗練して、数学の正と負にも似た正反対の観念を抽出したこの思想は、その素朴さのゆえに強力であった。老荘思想にも影響を与え、易学の基本理念を提供し、やがて五行《ごぎょう》説と結合して陰陽五行説に発展した後は、人倫と自然を含むあらゆる存在の原理を説明する世界観となった。

これに近い二元論は古代ギリシャにもあって、常識になじみやすいせいか哲学成立の以前から、広く庶民階層に受け入れられていた様子がある。『ノート』でも紹介しておいたが、パルメニデスのいわゆる「耀《かが》よう火」と「昏《くら》い夜」の二元対立がそれであって、世界はこの「相等しい両者」の力の均衡によって満たされていると考えられていた。陰陽と同じく、ここでも両極は相互否定の関係に置かれることなく、むしろ共存して働く原理と見なされているのが注目を惹く。およそ人類がいかにして世界観を発見したかは至難の謎だが、古代東洋とギリシャのこの偶然の一致はあまりにも印象的であって、何かを暗示しているという思いさえしないではない。

周知の通り、パルメニデス自身はこの二元論に反対の立場をとり、有名な「あるものはある、ないものはない」という箴言《しんげん》の通り、厳密な存在一元論を主張していた。あげく彼は物体が運動するための間隙の存在、空間そのものを認めることができず、運動が起こることとそれ自体を否定するという窮地に立たされたにもかかわらず、なお厳として自己の論理的整合性を貫く哲学者であった。だが他方で穏健なおとなでもあった彼はその信念とは別に、「死すべき身である」凡人の安心のため、彼らの「思い込みの尤《もっと》もらしい秩序づけ」のために、いわば仮の二元論を用意したのだという。

明らかにパルメニデスは当時の一般社会人について、いいかえれば哲学以前の常識人について、彼らが天性の二元論者であることを感じとっていた。それが正しいのは当然であって、常識人の生きる日常で目だつのは変化するものであり、変化しないまでも多様で個別的なものばかりだからである。永遠にして唯一の存在などは日常にはなく、天才的な信仰者と哲学者が奇蹟《きせき》的に発見したものであることは、歴史が教えている。そしてこの奇蹟よりもまえに、常識人の日常のなかで思考という活動が初めて芽生えたとき、それがまず天才的な一元論ではなく、とりあえず対立する両極の観念、動的な二元論に向かったことは、容易に想像できるところだろう。

すべてものごとは両極があればこそ、その間隙の空間のなかで動き、多様な個物も両極があればこそ、それに引き裂かれて相互の最初の区別を見せることができる。原始的な思考者が幼い認識の整理にとりかかったとき、すなわちさまざまな現象の座標と配置図を描き始めたとき、こう考えて二元論に拠ったことはきわめて自然ではなかっただろうか。

だが同時に注目すべきは、ここで幼い常識人の通念といえども、知識を整理する原理は数少ないほどよいと考え、二つという最小複数の原理を選んでいることだろう。知識世界の全体像を一目のもとに見渡し、もっとも単純な「一言」にまとめたいという欲求は、ほとんど常識と同じくらい人間の本性に根ざしたものかもしれない。この欲求に敢然と応えて立論したのが、ほかならぬパルメニデスその人であり、プラトン、アリストテレスと続くイデア論哲学の天才たちであった。

「反対観念共存（ambivalence）」の哲学

その後の哲学史を詳しく思い起こす余裕はないが、このプラトン以来のイデア一元論はかたちを変え姿を変え、西欧世界の思索する精神を支配し続けてきた。イデアはときに神と呼び換えられ、疑うべからざる信仰の対象にすら高められることがあった。もっともすべての一元論は必然的に二項対立を招く宿命にあって、奇を衒《てら》うようだが、いわば一・五元論ともいえる様相を呈するのを避けることができなかった。

端的なのがイデア論者の「形相（eidos）」の観念であって、これが現実の事物を構築するには単独ではなく、必ず「質料（hyle）」と呼ばれる素材の観念を必要とするのだった。質料はそれ自体にかたちも自己規定の力もなく、現実界の存在とは呼べない観念だが、それでもそれなしに存在は生まれないという意味で、存在論にとって不可欠の観念なのであった。

パルメニデスが「あるものはある、ないものはない」と言ったとき、彼の脳裏にはおそらく現実界の存在を説明しようという意図はなかっただろう。彼は純粋に論理的に考えて論理の一貫性を守った場合、「ない」ことが「ある」というのは矛盾だと言いたかっただけにちがいない。その結果、現実界の運動や多様性が説明できなくなったとしても、それは彼にとって哲学の問題ではなかったと推察できる。だからこそ彼は別途に素人向けの陰陽二元論を考案し、そのもとでは運動も多様性も許されることにしたのであった。

その点、イデア論の哲学者は現実界にたいする責任感が強すぎたともいえ、現実の運動も多様性もすべてを哲学の手で説明し、「ある」ことそれ自体の内部構造を解明しようとした。彼らはパルメニデスの「ある」の背後に廻《まわ》りこんで、それがじつは形相の能動的な形成力が産みだしたものだと考えることにした。いわば静止的な「ある」を動的な形成に置き換え、現実をその産物と見ることで問題の解決を図ったわけだが、結果としてそれが思いがけなく「質料」の観念を呼び覚まし、一元論の純粋性を危うくしたのは皮肉であった。

哲学の初歩を学んだ者ならここで誰しも思いだすのが、プラトンから二千年以上も後に現れ、近代哲学を領導したあのカントの『純粋理性批判』だろう。カントも現象を認識能力の純粋な形成物として捉え、精神の能動性に一元的に服従させようと努力しながら、どうしても別途、「物自体（Ding an sich）」という特殊な観念を認めざるをえなかった。認識能力によって感知できない「物自体」は、当然、存在することを直接に証明することもできない観念だが、現象を認識能力の形成物と考える以上、論理の「要請」から「ある」と仮定するしかない観念なのであった。

こうして近代西洋哲学はギリシャ以来の衣鉢《いはつ》を継ぎ、危うい一・五元論の綱渡りを続けながら、しかしそれを厳密な一元論に正す試みは見られたものの、逆に二元論へと先祖返りしようという冒険家はほとんどいなかった。フィヒテ、シェリング、ヘーゲルというドイツ観念論の主流はいわずもがな、ベルクソン、ジェイムズらの「生の哲学」もまた、ひたすらに一元論を精錬することに努めていた。この牢固たる伝統からなぜか外れ、流動と分節の二元論の着想に取り憑かれて、リズムの哲学へと誘いこまれた私はひそかに心細かった。

二元論といえば、文化人類学にはL・フロベニウスの「世界開豁《かいかつ》」と「世界閉塞《へいそく》」があり、美術史学にはR・ヴォーリンガーの「抽象」と「感情移入」などがあって、それぞれの観念は十分に対等な重みを持つ対概念をかたちづくっている。これにたいして哲学に僅かに見られる対概念はといえば、先に言及したニーチェの「ディオニュソス的」と「アポロン的」にしても、二十世紀のG・ドゥルーズ、F・ガタリの「樹木（tree）」と「根茎（rhizome）」にしても、じつは正しく二元論をかたちづくる対等の両極の位置を与えられていない。

明らかに論者はそれぞれの一方、「ディオニュソス的」を「アポロン的」よりも、「根茎」を「樹木」よりも尊重し、敵対する反対概念の不当な現実支配を覆すように期待している。あえていえばこれらの対概念は正と不正の対立に似ているのであって、キリスト教の「神」と「悪魔」、マルクス思想の「プロレタリアート」と「ブルジョア」の対概念にもなぞらえられるというべきだろう。

この窮状に加えてさらに困ったことに、ほぼ『ノート』の筆を擱くころから私の頭上に新たな誘惑が襲い、従来の流動と分節の二元論をさらに再定義して、あえていえば「アンビヴァレント」な二元論というべきもの、反対観念が共存するだけでなく、そのことで互いを強化するような二元論を探索せよと迫るのであった。

「アンビヴァレント（ambivalent）」という単語を選び、それで観念を形容したのは後のことだが（『中央公論』二〇一八年六月号、苅部直氏との対談）、これはかねて独特の感情状態を表す言葉として私にはなじみ深いものであった。「愛憎あい半ばする」などと俗にもいわれる通り、ある感情がそれとは反対の感情と両立するばかりか、対立によって逆に相手を増幅しあうような内面状態である。

この言葉は最初、心理学の術語としてスイスのP・E・ブロイラーによって提唱され、普通は感情の状態に限って使われる用語なのだが、私はいつごろからかこの強い背反の併存が感情のみならず、二つの観念のあいだにもなり立つと考えるようになっていた。

古来、見る人の反対感情併存を刺激する人物には悲劇の主人公が多く、激しい劇的境遇の渦中に身悶《みもだ》える人間がめだつ。ソフォクレスの『アンティゴネー』の女主人公が典型的だが、家族愛に命を賭けるあの頑固な直情には、同情とともにどこか暗い、やりきれなさを感じさせる趣がある。敵対する叔父クレオーンもまた俗物ながら、国法を遵守するというそれなりの正義を背負っているからである。

アンティゴネー自身も王女として国法を蹂躙《じゅうりん》する意志はみじんもなく、にもかかわらず譲れない自己の家族愛とのはざまに引き裂かれている。家族愛と国法という二つの正義が対立するなかで、彼女には死刑を甘受するという解決しか選択はないのであった。

もはや饒舌《じょうぜつ》の必要もないだろうが、アンティゴネーが見る人のアンビヴァレントな感情を誘い、同情とやりきれなさを同時に感じさせるのは、まぎれもなく彼女のなかに二つの正義の観念が併存し、それが対立することで強めあっていたからであった。ちなみに悲劇の主人公を造形し、劇的状況の設定をするのは劇作家の仕事であって、彼はそれを広範な観客の理解を助けるためにするのだが、彼自身は筆を執るに先立って、すでにこの観念そのものの背反併存にほとんど興奮さえ覚えていることを、私は経験から知っていた。

ひょっとしてそういう刺激的な観念の一対がないものかと、『ノート』擱筆《かくひつ》後の私は半ば諦めながらも近代哲学史の記憶を探り始めたのだが、そのうちにやおら浮かんできたのがショーペンハウアーの業績だったのである。かねて何回も読みさしてきた『意志と表象としての世界』は、若い私にはさほど魅力的な作品でもなかった覚えがあるが、今、新しい観点から振り返ってみると、これは私の問題意識にぴったりの表題を掲げていた。

「意志」も「表象」もきわめてありふれた哲学用語だが、この二つをあらためて併置してみると、その対立は何やらただならぬ雰囲気を醸しだすではないか。意志は行動の原理であり倫理学を支配するのにたいし、表象は知の原理であって認識論の中枢を占めるというのが、従来の通念だろう。この極度に異質の観念が対等に並びあって、本の表題の示唆するところ、どうやら「世界」という統一体をつくりあげているらしいのである。

ショーペンハウアーの意志と表象が決定的に対立的であって、にもかかわらず二つが一つの世界を形成しうると考えていたことは、一見してほぼ確実である。意志と表象「として」の世界という表現は、それだけで世界が同時に意志でも表象でも「ある」ことを暗示している。残るは両者がどこまでアンビヴァレントな関係にあるかが問題だが、その吟味を含めてまずは本を再読してみようと私は決心した。

もちろんドイツ観念論の異端児という、彼のかねての風評も私の背中を押した。その異端児と『ノート』における私とがどれほど近いか、あるいはどれほど遠いかを尋ねることは、結局、哲学史上の私自身の立ち位置を測ることになろうと思ったからである。

「表象」をめぐる冒険

「世界は私の表象である（Die Welt ist meine Vorstellung.）」

ショーペンハウアーは自著の第一巻の第一行を、いかにも彼らしくこの大仰な宣言から始めている。御託宣そのものにも聞こえる一行だが、よく読むとこの一句はそれだけですでに彼の疑いない哲学上の創見と、同時にそれを表明することへの逡巡《しゅんじゅん》を洩《も》らしているように見える。先廻《さきまわ》りしていえば創見は「世界は表象だ」という断言にあり、逡巡は「私の」という一語の付け足しに表れているようである。

表象とは端的に「前に（vor）立てる（stellen）」ことであり、「眼前に立つもの」のことであって、文字通り「現れ」て「見える」ものを意味している。見えるといってもただ感覚に写るのか、それとも理性にたいして明晰《めいせき》判明に認められるのか、哲学にとっては重要な区別だが、表象という言葉はそれが問われる以前の場所に現れるものをさしている。表象という言葉を説明なしに使った場合、それは実在なのか幻像なのか、真にそこに「ある」のか「ない」のか、問題にされる以前の現象をさしているはずなのである。

ショーペンハウアーがどこまで意識的に用語を使い、確信をこめて「表象」をこのような厳密な意味で口にしたのかを、あるいは疑う人があるかもしれない。そういう人のために付言するなら、彼は同じ節のすぐ直後に次のように重要な発言をおこなっている。表象はさまざまなかたちで成立するが、「共通なのはそれが客観と主観に分裂することであって、いかなる表象もこのかたちのもとにのみ表象である」。いささか衒学めくが、これは“das Zerfallen in Objekt und Subjekt (ist) die gemeinsame Form, [...] unter welcher allein irgendeine Vorstellung [...] möglich [...] ist.”というドイツ文の拙訳であって、もしこの翻訳に誤りがなければ、とくに“Objekt und Subjekt”を名詞の四格とする解釈が正しければ、これは著者による見逃せない発言なのである。

いうまでもなく問題はことがらの順序であって、ここでショーペンハウアーはまず最初に表象があって、それが客観と主観へと分裂するのであり、その逆ではないことを明らかに強調している。まず主観があってそれが表象を生むのだとか、客観が先にあってその反映として表象が生まれるなどという、伝統的な一元論の争いを一蹴《いっしゅう》しているといえる。敷衍《ふえん》すれば、主観も客観も精神と物質のような単独の実在ではなく、現れとしての表象を形成する要素にすぎないと考えているのである。

もう一つ注目したいのは、彼が主観を純粋に機能的に捉えていて、認識の場であり機関であるとする一方、それにどんな実体性をも与えないように警戒していることである。主観とは「すべてを認識するが、何ものによっても認識されないもの（Dasjenige, was alles erkennt und von keinem erkannt wird）」というのが彼の定義である。いいかえれば主観は主観の認識対象になることはできず、自己を知る自己も、自己によって知られた自己も存在しないということになるだろう。

この考え方は、たとえば近代哲学の父祖の一人であり、自我の観念の創始者というべきデカルトの主観論とまったく違っている。誰もが知るように、デカルトによれば「われ思う、ゆえにわれあり（cogito, ergo sum.）」だったのであって、思うことは「われ」の能動的な行為と考えられ、だからこそ「われ」が存在することとの証拠と考えられてきたのであった。

そう思ってショーペンハウアーの発言を虚心に読めば、彼はここで実在する主観、能動的にもの思う主観などどこにもないと言っているのであり、彼の表象は主観の成立に先立って現象すると主張していると見ることができる。世界は表象であるというときのその表象は、誰かが何かを思うまえにひとりでに現れ、現れるとともにみずからの内で主観と客観へと分裂すると考えられる。認識するもの（主観）もされるもの（客観）も表象の内部にあるというのだから、表象が現れるとは認識が現れることにほかならず、世界は自分で自分を認識しながら現れるということになるだろう。

これは革命的な考え方であって、それだけで観念論と実在論の双方の根底を脅かすものだが、そのうえこの主張は先輩のカントの表象論も超えていることを、注意しておかねばならない。カントの場合、表象はけっしてひとりでに成立するものではなく、まず現れるのは感性にたいする無秩序な刺激にすぎず、それを構想力（Einbildungskraft）という能力がかたちにまとめて初めて生まれるものであった。ここにもカントの一・五元論的な発想法が端的に偲《しの》ばれるのだが、彼の表象が生まれるためにはそのまえにまず内面的な創造力と、それにたいして外界に散乱する材料とが必要なのであった。この先輩を尻目に表象が独力で現れるとし、それ以前に何ものもないと主張するのは、このカントの崇拝者にとってかなりの冒険だったと想像される。

それどころかショーペンハウアーはさらに踏み込んで、表象がただの統一的なかたち、構成された感覚像であるだけでなく、すでに因果関係のような知的な認識を内に含んで現れると考える。第四節から第五節にかけて、彼は人間の身体が外界を感受する過程を観察し、身体が何かを感じるさいつねに刺激とその原因を同時に感じとり、その間の因果関係をも直観しているという事実を指摘する。たしかに人がたとえば眩《まぶ》しいというとき、彼はその瞬間に「光が射すから眩しい」と感じているはずであって、その光が眩しさの原因であることをも感じているといえるだろう。

ドイツ語では現実のことを「働きかけ（Wirklichkeit）」というが、ショーペンハウアーによればこの単語がすでに示唆的であり、現実が現れるとは一つの「働き（Wirkung）」が結果をもたらし、その因果関係が直接に認識されていることにほかならない。表象としての世界とはこの現実と同義語なのであって、そこでは感性と悟性は区別されず、現象と根拠づけは同じ地平面に現れるのである。

そしてもし表象がこのようなものだとすれば、当然、それがつくる世界は「誤謬《ごびゅう》もなければ真実もなく」、それを見る人に躊躇《ためら》いも疑いも感じさせないだろう。表象の世界は生成する（werden）かたちで現れるのだが、何かが何かに「なる（werden）」場合の因果関係は、思考を必要とする判断における因果関係とは違って、原因も結果もともに目に見えるかたちで現れる。現に目に見えているものは、かりに夢や錯覚として後に否定されるとしても、それが今、そこにそのように見えているという事実までは誰も否定できないだろう。

ショーペンハウアーは、彼の表象の世界はまさにそういう認識対象として、現に万人の目の前に現れているという。彼自身の表現をそのまま引けば、表象の世界は「感覚と悟性にたいしてみずからを開け広げ（offen da）、あるがままの素朴な真実をもって自分が何であるかを示している（gibt sich mit naiver Wahrheit für das, was sie ist）」のである。

このように読むと、ショーペンハウアーの表象の観念は驚くほど冒険的であって、ドイツ観念論を跳び超え、ほとんど現象学の先駆けを務めているようにさえ見える。先にも触れたが、彼の表象はデカルトの「われ思う」を洗いあげて、「ゆえにわれあり」へと繋《つな》がる道を明確に断ち切った観念である。それは同じデカルトが「われ思う」を言い換え、その真意を厳密に表現した「われに見える（video）」ことそれ自体にほかならない。

私は『リズムの哲学ノート』でこの「われに見える」ことの観念を借り、そこから自分なりの認識論を試みたつもりだが、そのさなかにはショーペンハウアーの表象を思い出すこともなく、今回、読み直してその新鮮さにあらためて愕然《がくぜん》としたしだいである。

また彼の表象が感覚所与のたんなる集合体ではなく、最初から不可分の全体として現れるという意味において、これがほとんどゲシュタルトの観念でもあることは面白い。そういえば、彼の主観が「すべてを認識するが、みずからを認識しない」という一節も、ゲシュタルトの「図」と

「地」の関係を暗示しているような気がしないでもない。さらにやや率爾《そつじ》とはいえ、彼が「身体」を哲学用語として受け入れ、表象を受容する機関の位置に置いたことも併せて、彼と私の『ノート』との意外な親近性に感慨を覚えるのである。

もっともこれまでの読解のなかでも、ショーペンハウアーが必ずしもみずからの冒険に確信が持てず、若干の逡巡の思いを洩らしているという印象は拭えない。何より気がかりなのは彼が世界は「私の（meine）」表象であると述べ、あたかも表象が「私」という主観の産物であるかのような印象を与えていることだろう。もっとも、この一句にかぎって弁護すれば、「私の」は「私にとっての」とか「私にたいする」と読むこともできるから、表象が主観に先立って現れるという彼の革新的な主張と矛盾しないともいえる。ところがやがて見る通り、『意志と表象としての世界』の後半は前半の冒険にあからさまな躊躇いを示すのであって、ここにはその逡巡の予兆がほの見えているというほかはなさそうである。

「意志」をめぐる冒険

しかしながら、この本はその前半までは変わらぬ意気軒昂《けんこう》ぶりを保ち、「意志」を論じる第二巻にはいっても、創見というべき主張がめざましく連発される。まず冒頭に再確認されるのが身体の役割の重要性であって、ショーペンハウアーは第十八節でいきなり身体を表象と意志の結節点に置いて見せる。すなわち、身体は一方で表象のなかに捉えられる客観物でありながら、同時につねに身体運動そのものとして現れ、働くことを通じて「私」に直接に感じとられる意志でもあるという。

具体的にいえば、身体は手足のような目に見える対象としては「私」の外にあるが、それが運動するときには「私」の内部にはいりこみ、一つの衝動として「私」を前へと押し動かす。「私」はこの衝動を自分の内部にあるものと感じ、自分の意志と呼んでいるわけであって、その主体性の実態は身体運動に伴って起こる副次的な現象にすぎないのである。

刮目《かつもく》に値するのは、ショーペンハウアーが意志を身体運動と一つにして同じものと見なし、意志が身体を動かすという因果関係を否定していることだろう。意志はそれが現に働いているときだけ存在するものであって、身体運動に先立ってそれだけで「私」の内部にあるものではない。第十八節のこの発言はまぎれもなく独創的であって、意志が行動を引き起こすという伝統的な意志論を危うくするばかりか、行動以前に意志の自由選択がありうるという通念をも脅かしている。

意志はどこかに不動のものとしてあるわけではなく、個別の働きにおいてのみ、時間のなかでのみ認識されるものであり、それを認識するのも個別の身体のほかにはない。また意志はどこからどのように生じるかもわからない現象であって、それがどんな動機をきっかけに働くかはわかっても、その動機を捉える意志それ自体の出自はわからないという。意志は漠然たる意欲(Wollen)の全体を含む衝動であって、意欲は欲望に根ざしていわば自然に湧くものであるから、理性の観点からは「根拠なし(grundlos)」に現れるとしかいいようのない現象なのである(第二十節)。

さらにショーペンハウアーは意志が発動するとき身体は独特の感触を受けると言い、通常の表象には現れないこの直接的な刺激興奮こそ、意志が働いていることの徴候だと考える。意志は外的な表象を経由することなく、直接に身体に強い高揚感を伝えるものであって、これを感じた人が自分は意志していると覚るのである。けだし意志そのものと意志の感触を区別したうえで、通常、意志と呼ばれるものがじつはただの感触にすぎず、しかも身体運動に随伴する感触にすぎないと見ぬいたことは、彼のもう一つの創見だろう。

ちなみに『リズムの哲学ノート』はそれとは知らずに彼の意志論を踏襲し、身体運動との同一視はもちろん、意志を身体の随伴的感触と見なす点を含めて、多くの一致を示していることを告白しておかねばなるまい。

ここまでのショーペンハウアーがどれほど冒険的であるか、彼自身にとって危険なほど冒険的であるかは、彼の創見を少しばかり敷衍してみればわかる。たとえば彼は意志が身体運動に先立つことを決然と否定したわけだが、それによって彼は兄事するカントの自由論を脅かす危険を冒すことになった。カントによれば意志はむしろ身体の自然な傾向(Neigung)に逆らい、その欲望を圧殺してでも自由に選択する能力だとされているからである。そういう意志が行動を起こす場合、当然、それは身体に先立って決意し、結果として身体を使役すると考えるほかはないはずだが、彼は先輩にたいするこの違背に気づいていたのだろうか。

またもっと重大なことだが、もし意志が何らの根拠もなく生じ、個々の身体運動と同時に始まって終わるとすれば、はたしてそういうものを意志という能動的な語感を持つ名称で呼ぶのは正しいかという疑いが起こる。それはむしろ純粋な流動、あるいは持続と呼ぶのがふさわしい現象であって、たえず点滅する身体の感触の一種と見なしてすますのが正しくはなかったのだろうか。彼は第十九節で自然現象を人間の身体行動になぞらえて説明しようと試み、「石ころが落ちるのも何らかの意志の働き」だと言うのだが、この観点に立てば順序を逆にして、「意志はあたかも石ころが落ちるように働く」と言い直すことになるだろう。

思うにショーペンハウアーはここで深刻な岐路に立っていたのであって、もし彼がこのまま冒険の道を選び、意志を純粋な流動、あるいは持続と呼び換えていたなら、彼は一世紀を飛び越えて現代哲学の始祖の名をほしいままにしていただろう。もちろんこれはヒストリカル・イフの典型にすぎず、先に予告した通り、現実の彼はこのあたりから明らかに逡巡の色を浮かべ始める。曲がり角は彼が意志の概念を拡大し、それを身体のみならず全世界の構成原理の位置に高めて、独自の形而上学を展開しようとしたときであった。

第二十二節にいたって意志はにわかに神秘的な色彩を帯び、いっさいの現実的な因果関係を超越した力へと高められる。それ自体は力でさえなく、いっさいの力を力たらしめる運動の究極の源泉とでも呼ぶべき地位に置かれる。そのうえ奇怪なことに、彼はこの意志を『純粋理性批判』の「物自体」と同一視するのである。先にも触れたがカントの「物自体」は存在としての属性をまったく持たず、もっぱら論理上の「要請」によって「ある」と考えられたものにすぎなかった。これとすべての現実を生んで、全世界を駆動するはずの意志を重ねあわせるのは、理論的な必要性から見ても不可解というほかはない。

やはりここにはショーペンハウアーの孤立感が滲《にじ》んでいて、学界の権威につながりたい願いが思わず洩れたと見るべきだろう。さらにこの後、第三巻、四巻にかけて、古代ギリシャ哲学、なかでもプラトンからの援用がにわかに増えるのも暗示的と考えられる。

「意志」の神格化からその全否定へ

いずれにせよ、今や意志は「私」の身体を踏み越え、世界の森羅万象を生む根源となったわけだが、ショーペンハウアーが「意志の客体化（Objektivation des Willens）」と呼ぶその過程を理解するのはかなり難しい。彼はその過程を意志の内部構造から説明しようとはせず、もっぱら意志がすでに客体化してしまった外界の分析に終始するからである。およそ分析できるのは「個体化の原理（principium individuationis）」に従う外界だけであって、意志は個体化を許さない絶対的な一者であるというのが彼の弁明だが、これでは意志は神格化されたと評するほかはあるまい。

現に第二十六節で彼は無機的な物理的世界から始めて、植物、動物、人間へと段階を分けて分析を進め、最高段階というべき人間の出現とともに、その認識能力の対象として表象が生まれると説明する。だがこれは博物学的な説明ではあっても、哲学的な原理づけにはほど遠く、それぞれの自然現象が真に意志の内から生まれたと納得するのは難しい。

意志の客体化という以上、意志みずからが変化して客体を生み、動くものが見えるものへと転化する過程があるはずだが、そうした変化の過程がありうることすらここには示唆されていない。「盲目の衝動」（第二十七節）たる意志がいかにして一転し、見えるばかりか内に因果関係までも含んだ表象に変わるのか、この問題の重大さにショーペンハウアーは気づいていないようにさえ見える。

これと並行して第二十節を限りに、彼の身体への言及がにわかに姿を消し、後半の第三巻で藝術を論じるさいにも第四巻で倫理を語るさいにも、身体はまったく顧みられないことに注目しておきたい。哲学の視野に身体を取り入れたことが彼の独創であり、とくに意志と身体の同一性論が説得的だっただけに、これは残念というほかはない。しかも私の見るところとくに惜しまれるのは、彼の身体論がもっとも有効に働きそうな場所で、すなわち意志と表象の関係が論じられるその場所で、肝腎の身体が忘れられたことである。

もしショーペンハウアーがせっかく一度は発見した身体の両義性、「私」の内なる衝動であり、同時に外なる四肢五体でもあるという身体の特質を思いだしていれば、これによってそのまま意志と表象も同一物の両面として説明できていたにちがいない。彼はただ一言、身体は運動する限りにおいて意志であり、時空のなかに場所を占める限りにおいて表象である、と言っておけばよかったはずである。

だが残念ながらショーペンハウアーは、思索をこれとは正反対の方向に、すなわち意志と表象を引き離し、それぞれを純粋化して対立させる方向へと進めてゆく。彼はあくまでも意志を表象に優先させ、意志が表象をつくるという立場に固執するのだが、だとすればその産出は意志そのものの客体化ではなく、意志による恣意的な客体の創造、唯一神の世界創造にも似た働きを想定する以外にはないだろう。

じっさいショーペンハウアーはしだいにその道へと踏みだし、正統的なキリスト教に歩み寄ろうとし始めたように見える。端的な兆候は、第二十六節で彼がカトリック神父の哲学者ニコラ・マルブランシュ（**Nicolas Malebranche**）に言及し、その著『真理の探究（*De la recherche de la vérité*）』（一六七四年）に最大の賛辞を贈っていることに現れている。

マルブランシュはみずからデカルトの後継者を任じながら、その宗教的な立場から神の全能の擁護をも試み、いわば二つの立場を両立させようとした思想家であった。「機会因（**causes occasionnelles**）」というのがその理論のキー・ワードであって、彼はこれによって神の意志と現実世界を関係づけ、両者を分離すると同時に結びつけようと試みた。

すべて現実は現実的な原因の結果として変化し、現実界は自己完結しているように見えるが、この原因はじつは神の意志に機会を与えているにすぎず、真の変化はこれをきっかけとして働く神意の直接の作用であると彼は考える。人間の自由意志も自然の必然的原因もじつは「機会因」にほかならず、神の意志はこれらを動機として利用して働くのである。たしかにこう考えれば、現実世界がその範囲内で合理的に運動している事実を否定する必要もなく、しかもそのすべてを支配する神の全能を疑う必要もなくなるだろう。

マルブランシュについては近年、依田義右《よしすけ》が大著を出版し（『マルブランシュ――認識をめぐる争いと光の形而上学』）、詳細をきわめた解説を下しているから読者には一読を勧めたい。だがこれまでの瞥見《べっけん》によっても、ショーペンハウアーがマルブランシュに心服しているのは明らかであって、彼のいう「現実的な因果関係」はまぎれもなく「機会因」の言い換えであり、意志はマルブランシュの神の言い換えに堕したという印象すら受ける。

もちろん神学者ならぬ哲学者としてのショーペンハウアーにとって、この心服から得るものがあったかどうかは疑問である。むしろ結果は破滅的であって、彼は意志を神格化することによって前半の自説をことごとく覆してしまったといえる。意志は現実に先立って存在しないという創見を擲《なげう》ち、意志と現実変化のあいだに因果関係を認め始めたのだから、信じがたい思いがする。

だが驚くのはまだ早いのであって、やがてショーペンハウアーはみずから神格化した意志をも踏み越え、意志そのものの及ばない精神世界を理想として仰ぐことになる。ここで想起されるのが先に触れたギリシャ哲学であって、なかでもプラトンが述べたと彼が考える「イデア」である。じつは彼は前半でもイデアを語っているのだが、そこでの位置づけは「意志の客体化の一段階」という軽いものであった。しかし後半では一転して、イデアは意志の手も届かない至高の認識対象と見なされ、プラトン自身が困惑しそうな神秘をきわめた精神活動の対象と考えられる。

その精神活動は第三十四節で名を与えられ、重々しくも「観想（Kontemplation）」と呼ばれる。観想とは、「意志への奉仕から引き離された認識」であり、「意志のない純粋な認識主観（das reines, willenloses Subjekt der Erkenntnis）」の活動である。それは対象を直観することに没入し、現実の「対象のなかに完全に我れを失って（sich gänzlich in diesen Gegenstand verliert）」、「対象の曇りなき鏡」になりきることだという。

意志の概念はこれまでもニュアンスをときに大きく変えてきたが、ここで否定的に語られる意志とはどうやらあの「盲目の衝動」ではなく、逆に意志の目的志向、因果関係を結ぶ合目的的な性質のことであるらしい。これまでは意志を必ずしも目的志向と関連づけてこなかったショーペンハウアーだが、にわかにその側面を強調したうえで敵視し始めるのである。彼は事物の観察から「いつ、どこ、なぜ、何のため」など時空関係、因果関係を排除し、いいかえれば認識内部の目的志向的な構造を除外して、「もっぱら何だけ（einzig und allein das Was）」を直視すれば、それでイデアの観想は成立するという。

そしてこの後『意志と表象としての世界』最終章まで、彼は数百ページを費やして、世俗社会の目的志向的な性格を攻撃することに徹するのである。その主張の細部にはそれなりに傾聴すべき一節もあり、それを説く著者の真摯さは伝わってくるが、それによって著書の全体的な一貫性が破壊されたことは疑いない。たとえば第一章で表象に与えられていたあの自明性、真実も誤謬も超越した現れの確実性は、新しい観想のまえに立たされてどうなるのかも彼は語らないのである。

二人いたショーペンハウアー

思い切って所説を圧縮すれば、著者は第三巻で美と藝術活動を称揚し、第四巻で通常の「善」を含めた世俗的な価値観を否定する。例によって語調は激しく、常識の粉砕をめざす意気ごみは壮《さか》んだが、しかし辿《たど》り着く結論は意外なほど穏健であり、西欧文明の正統に繋がりたいという願望が透けて見える。

まず藝術は純粋な対象の観想であり、世俗的な欲望はもとより、対象の関係を教える知的認識という目的にも奉仕しないから尊いとされる。ここでは著者は藝術に欠かせないはずの身体の存在も忘れ、作品と作者の個性がどこから由来するかも問題にせず、ひたすら無目的にものを見る行為としての藝術を賞賛する。藝術家は反俗の聖人となり、作品はイデアの祭壇の高みに祀《まつ》られる。これを批判するのはあまりにも徒労だから省くが、一つ面白いのはこの藝術に関してだけ、なぜか著者はプラトンに公然と反旗を翻し、理論的に親近性の高いカントを黙殺していることだろう。

続く第四巻では著者は個人と社会を語り、それが営む生活の批判を展開するのだが、こちらには彼の理論の基本問題がより鮮明に現れているから、やや詳しく見ておこう。ここではあらためて個人が意志の客体化の一例と捉えられ、「性格」の名のもとに多様性と個別性を認められるのだが、例によってこの「客体化」の一語は控えめにいっても難解である。著者の見る個人は徹頭徹尾、排他的であり、実利をめざして目的志向的であるが、これは本来の意志そのもの、時空を超え因果関係を超え、現象の多様性を超えた意志をどう客体化すれば出てくるのだろうか。

やはりショーペンハウアーは第三十四節で判明したように、かねて意志の内部に目的志向的な性格を認め、むしろその実用主義的な側面をより重視し始めていたと理解するほかはあるまい。じっさいそう思わせるほど、彼の社会は万人が万人を敵とするリヴァイアサン風の修羅場であり、彼の個人は目先の利害に汲々《きゅうきゅう》とする俗物である。これを斬るのは簡単であって、俗物の求める満足はじつは窮乏の除去にすぎず、次の満足を得るにはふたたび窮乏に返るほかはないのだから、そんなむだな反復に終わる人生に何の意味があるのかと、彼は嘲笑する。さらにもしすべてが満足されれば、俗物に残るは退屈という地獄のほかにはないと、脅迫さえするのである。

意地悪く皮肉を言えば、平凡な日常生活にたいしてこれほどの焦燥を覚えるのは、ショーペンハウアーにリズムの感受性が乏しかった証拠だといえるかもしれない。リズムの感覚さえ鋭ければ、日常の日課のなかにただの反復ではなく、いきいきした脈拍のような拍子、ルートヴィヒ・クラーゲスのいう「生命の更新」を感じることもできたはずだからである。

しかしそれを別にすれば彼の人生論はそれなりに常識的であり、むしろ陳腐だという印象すら与える。ここには広く誤解されてきた悲観論も厭世《えんせい》思想もなく、逆に人間の賢明さにたいする健全な信頼が語られている。すなわちもし人間が彼のいう「意志の客体化」を乗り越え、平たくいえば我欲を捨て目的志向の虚しさを悟れば、この悟りによって万人は救われると彼は説くのである。悟りの境地は仏教用語を借りて「涅槃《ねはん》（nirvana）」と呼ばれるが、これはけっして西欧の精神伝統に反するものではない。悟りによる救済の観念には微《かす》かに他力本願的な匂いも伴うものの、じつはそれを含めてキリスト教の本義に適《かな》う信仰であることを、彼はアウグスティヌスを引きルターを引き、念をこめて強調するのである。

全巻四百ページの読書を終えて、結論としてこの人生訓に導かれた読者の実感は、正直いって拍子抜けに近いものではないだろうか。ここには表象と意志に斬新無比な定義を与え、現象学や「生の哲学」の先駆者にもなりかねなかった、あのショーペンハウアーはもはやいない。思えば「意志の客体化」を論じ始めるまえ、意志と表象を強引に一元化しようと試み始めるまえ、この哲学者は別人であった。彼が積極的に二元論をめざしたとはいえないが、二元論に至ってもやむをえないという姿勢を見せていたとき、つまりは身体の両義的性格を旗幟《きし》に掲げていたとき、彼は真に創造的であった。その記憶を胸にこの人生講話に辿りつくと、ショーペンハウアーは二人いたと痛感せざるをえないのである。

孤立に敗れた思索家――ヒストリカル・イフ

それにしてもなぜ彼は一冊の本の中程で、あれほどの大きな転換をみずからに許すことができたのだろうか。あるいはなぜ彼は一冊の本を書く過程で、つぎつぎに湧く部分的な着想にみずから酔い、全体の一貫性への注意を疎《おろそ》かにできたのだろうか。そう疑わせるほど彼の文章はどの部分でも情熱的であり、凡庸な内容を語るときにすら、文体は他を論破しようとする意気込みに満ちている。

『意志と表象としての世界』は一八一七年から一八年に書かれ、ショーペンハウアーの三十歳の年に完結しているから、この自己陶酔は彼の若気の過ちと見ることもできる。だが少なくともそれに加えて、私は彼の生涯の知的孤立が焦燥を煽《あお》り立て、前後を忘れた性急な文章を書かせた憾《うら》みもあったと思わざるをえない。あの大作が僅か一年で書かれたという事実も、彼の意欲というよりむしろ渇きと焦りの強さを感じさせるのである。

彼が当時のドイツ観念論の学統に嫌悪を抱き、ヘーゲルに代表されるベルリン大学の知的共同体に挑み続けていたことは、すでに触れた。第三十一節で声高に叫んでいるように、彼はドイツの十九世紀を「哲学的道化芝居」の時代と罵り、とくに直前の四十年間を「屈辱的な退歩」の時期と蔑んでいたのである。ちなみに狷介な青年は実の母親とも義絶状態にあったが、彼女が文藝サロンの女王的存在だったというのも示唆的といえるだろう。

ショーペンハウアーが自己の社会的な孤立を自覚しており、そのことを表向き誇りとしていたことは、第三十六節の天才論から窺《うかが》うことができる。彼の天才とはいうまでもなく観想する人であり、通常の理性的な小賢《こざか》しさとは真っ向から対立する人である。天才はイデアを直観する人だが、イデアの直観はあまりにも鮮烈であり印象強烈だから、釣り合いのとれた常識の知恵を突き破ってしまう。目前の発見がことごとく目覚ましく、尋常ならず強烈であるために、天才は自分だけの感動と情熱へと閉じこめられやすい。彼は「独白」を好み、他人の意見に耳を傾けようとせず、社会からはともすれば狂気と見なされかねないのである。

破れかぶれというほかはない壮語だが、確実なことは彼がここでみずから自著の欠点を認め、そこに首尾一貫した主張がないことを自認している点だろう。そしてその強気の反俗的な自賛の言葉とは裏腹に、この一節には明らかにショーペンハウアーの寂しさが揺曳《ようえい》していないだろうか。唐突だが「哲学漫想」の筆者としては、ここでヒストリカル・イフの世界に遊んで、彼を同時代の思考的共同体のなかに連れ戻し、他者とともに考えさせ、他者とともに一貫した主題を追求させてみたい、という誘惑に駆られるのである。

じつをいうと私自身、本稿の半ばを過ぎたころにたまたま気づいた事実だが、ショーペンハウアーの同時代のドイツ語圏には、ベルナルト・ボルツァーノ（Bernard Bolzano）というチェコ人の哲学者がいた。一七八一年に生まれて一八四八年に没した彼は、一七八八年生まれで一八六〇年に死んだショーペンハウアーとほぼ生涯が重なる。ちなみにこのボルツァーノもドイツ観念論の系譜には繫がらず、ショーペンハウアーの忌避を受けそうになかったことも有望だといえる。

注目を惹くのは、このボルツァーノが「表象自体（Vorstellung an sich）」という概念を立て、その内容がショーペンハウアーのいう「表象」に酷似していたことである。彼があえて表象に「自体」を加えて通常のそれと区別したのは、通常の表象がとかく心の活動の産物、主観の形成物と誤解されがちだからである。ボルツァーノはこれを嫌って「本来の表象」というものを考え、そのあり場所を心の内部ではなく、まして心に対立する客観世界のなかでもなく、そのどちらをも超えた場所におのずから現象するものと考えた。

表象自体の本質はとにかく現れることであって、それが真に実在しているかどうかは二次的な問題であり、別途論証すべき異質の課題である。表象自体としてはたとえば「円い四角」も許されるのであって、現にそんなものはないと論証するためにも、これを一度は表象することが不可欠なのである。また「円い四角」という不条理な表象が浮かびあがること自体、表象が本来、主観、客観双方の合理性に従わず、きわめて恣意的に現象することを示しているといえるかもしれない。

いずれにせよ、これを読んだ人はただちにショーペンハウアーの表象論を思いだし、とくにそれが主観と客観の区別に先んじて、まずおのずから現象する存在であったことを想起することだろう。そして他方、その後のボルツァーノがフッサールに影響を与え（『ブリタニカ国際大百科事典』電子版）、間接的に現象学の先駆者になったことを知るにつけ、この二人がもし昵懇《じっこん》であったらと想像しない人は少ないのではなかろうか。

容易に思い浮かぶのは、やはり傲慢なショーペンハウアーの反応であって、みずからの発見の優先権を高飛車に言い立てる姿かもしれない。しかしもしそれをすれば彼はいやでも自己の表象論により固執することになり、意志論との関係についても、意志論そのものの立て方についてももっと慎重な態度をとることになったにちがいない。少なくとも意志の発動と身体運動とのあの同一性について、せっかくの創見をやすやすと捨て去ることにはならなかったと想像されるのである。

なにしろもしボルツァーノと論争になった場合、議論は心の内部と客観世界の対立に及ぶはずだが、その両者の対立を最初から超えた存在といえば身体のほかにはないからである。そしてこの時代、哲学の重要な主題に身体を持ち込み、それを動かす外的な力、より上位の力はないと断言したのは、ショーペンハウアー以外にはいなかったのである。

こう考えると、もし彼とボルツァーノの接触が実現していたら、初期現象学そのもののあり方が違っていたかもしれず、二十世紀哲学の全体像が別の姿を見せていたかもしれない。明らかにモーリス・メルロ＝ポンティはもっと早く現れていただろうし、何よりも『意志と表象としての世界』の後半は書かれないままに終わっただろう。もちろんのことだが、いたずらに「哲学漫想」が本誌の誌面を汚す心配もなかったわけである。

（了）

〔『アスティオン』第90号、二〇一九年五月〕

哲学漫想3

リズムの哲学再考——反省と展開への期待

『リズムの哲学ノート』を単行本として上梓《じょうし》してから、ほぼ丸二年になる。その間、繰り返し自著を読み返しながら、なぜか私はそれについて反省も修正の文章も筆にすることができなかった。『アステイオン』誌の連載に三年をかけ、単著に纏《まと》めるのに一年半を要したこの本は、それだけ深く著者を呪縛して距離をとることを許さなかったらしい。

おそらく再読すること十回目を過ぎたころから、私の目には自著の文体と思考のリズムが過去のものとして見え始め、巻きこまれを避けて冷静に読めるようになった。そしてそれからさらに数回の検討を重ねて、私は『リズムの哲学ノート』の反省を書くことを決心することができた。さすがに本文の改訂版を著す勇気は出なかったので、『哲学漫想』のこの章を借りて、重要な問題点の二つだけを集中的に自己批判することにした。

どちらも『ノート』のなかで重きを置き、相当に力を入れて論じながら、今となっては論究に不足の見える概念である。一つは人間の「身体」の概念、もう一つは身体が関わる「事物」と「観念」の二つの概念であるといえば、『ノート』をお読み頂いた読者にはすでに問題の範囲は明白なことだろう。

リズムの哲学の副産物——身体

リズムが人間に及び、人間を動かし人間に感じられるかぎり、身体はリズムが生み出す不可欠な副産物だといえるにちがいない。

人間がリズムを感受する場合、特別の脳科学的な中枢や神経回路は存在せず、身体の全体が直接に影響されて反応していることは自明だろう。逆にリズムの伝播《でんぱ》は視覚や聴覚など一部の知覚能力に限定することができず、一気に身体の全体に拡《ひろ》がってしまう。また身体は哲学のいう感性と理性の分裂を許さないどころか、ときには両者の階層性を逆転し、リズムに乗ることによって、極度に理性的な仕事をみずからこなすことができる。私にとって、したがって身体はこれまで長く理性に対置されてきた感性的な存在ではない。かけ算の「九九」は歌う身体が主導する計算の活動だし、訓練されたピアニストの指は理性の指示に頼らず、どんな精密機械にもまして時間を精密に等分割しているはずである。

このような身体はリズムの働いているときにのみ成立し、リズムが停止すれば消滅するものであるから、『ノート』では身体はリズムの生み出す産物だと考えた。それはリズムの分節の一単位であり、分節性が伴う空間的な拡がりの産物だと説明した。リズムは純粋な流動、持続とは違って、拡がりを持ちうるのが特色だということは、『ノート』が一貫して主張していた点であった。音楽や舞踊のリズムは記譜法によって順次に展開する拡がりを見せ、生命のリズムは始めと終わりを持つ「生涯」の延長を形成するのだった。

リズムが拡がりを持つということは、現実にはリズムが空間的な媒体に乗るということであり、逆に媒体が生命を帯びて生き始めるということにほかならない。人間の生命の場合、媒体とは生理的な肉体のことであって、直接にはこれが空間的な延長を占め、時間的な生涯をかたちづくるのはいうまでもない。だが肉体はけっしてそのままで身体であるわけではなく、文化的に訓練され、習慣づけられるまではただの反射運動を繰り返すだけである。二足歩行という単純至極な身体運動ですら、幼時の訓練によって始めて身につく能力であり、肉体的な死を待たずして老化とともに衰える能力であることはいうまでもあるまい。

したがって『ノート』では、この習慣づけの方法、練習の手順についてかなり詳細な観察をおこなった。日常の行動が目的の連鎖のなかに繋《つな》がれ、つねに先を急ぐ傾向を持つのにたいして、練習はこの目的連鎖を遮断して運動の単純な反復に集中し、その反復にリズムが宿るのをひたすら待つのであった。練習の成果はふしぎなことに、泳ぐ能力であれ自転車に乗る能力であれ、あたかも恩寵《おんちょう》のように長い練習の苦行のすえのある瞬間、突如として身体に恵まれるものだからである。

また『ノート』では、身体に天降るリズムが必ずしも一つではなく、複数の脈動が同時に輻輳《ふくそう》することがある事実に注目した。誰しも人は唱歌を歌いながら道を歩き、それに伴って心音が早まるのを感じた経験があるだろう。媒体である肉体もそれ自体が一つの自然現象として、たとえば呼気と吸気、空腹と満腹、睡眠と覚醒の反復を繰り返し、それらの輻輳が身体に複雑なリズムを伝えているはずである。一隻の蒸気船に喩《たと》えれば、海の波、風の立ち消え、エンジンの振動が互いに重なり合って協奏するのと似ているといえる。

存在としての身体の曖昧さ

こうして『ノート』を振り返ると、私はそこで身体の生まれと成り立ち、いわば身体の発生についてはー定の観察をしていたように思われる。しかし二年を経たいま見直すと、そのように成立した身体の「そこにある(dasein)」あり方、身体の生態については、私にはその奇妙さに気づいてさえいなかったことが悔やまれてならない。じっさい身体は正視しようとすると、「そこに」あるといってもどこにあるのか見当たらず、「ある」といってもその手応えの強さが摑《つか》み難い、奇妙な存在であることがわかるはずなのである。

まず身体は媒体である肉体の内側に閉じ込められてはおらず、広くその外側にはみ出しているものだが、そのはみ出しの範囲がときによって動揺するのである。なぜなら、たとえば人は耳に聞こえる世界をただの環境ではなく、リズムを帯びた情報として受け止め、それを身体内部のリズムと輻輳させるからである。あたりが静かで遠くまで聞こえるときには、身体は広域のリズムと一体化するし、逆風が吹いて聞こえる範囲が狭くなると、身体のリズムも身近な響きにしか同調しない。身体は聴覚に合わせてみずからも伸縮するのだが、その拡がりは聴力の強弱、風の方向、遮蔽物の有無、輻輳しない雑音の大小などによってほとんど刻々に範囲を変え続ける。

視覚の場合も同様であって、見える範囲が拡がるのに応じて身体も伸縮し、実感のうえでもそのことがつぶさに感じられる。窮屈な弊屋のなかでは身体は卑小さを覚え、広大な景観のなかでは気宇壮大を感じる。身体の大きさは体外の空間の拡がり、光の明るさ、空気の透明度、視界を塞ぐ遮蔽物の多少、さらに視力の強弱によってたえず変化する。

一方、聴覚と視覚は違いも大きく、流れる音に乗る聴覚的リズムは流動性が高く、空間に拡がる視覚的リズムは分節性が高い。視覚的リズムは目に見える構造をつくりやすく、区分、境界、距離、包み包まれる関係を生む傾向を持つ。しかしそうした細部の構造も、さらに拡がり全体の輪郭もじつはまったく相対的な存在であって、安易に「そこにある」とは言い切れないことを忘れてはならない。

たしかに地図上の輪郭や区分や境界は「そこにある」が、現実の視覚的な地形はたえず大きさを変え、しかも大きさは漸層的になだらかに変化している。手近な山に登ってみれば明らかな話だが、高く登れば眺望全体は拡がり細部は縮まり、低く降り立てばその逆が生じる。身体そのものもそれに応じて伸縮を繰り返すが、そのどれが自分本来のもの、みずからに固有の眺望であるかを言うことは誰にもできない。

ところで身体の存在を語ろうとするさい、かつてもっとも伝統的な手がかりは身体の内部感覚、皮膚で包まれた身体内部の直接性に注目することであった。一定の体重と体温を保ち、それがだるさや軽快感として直接に感じられ、苦痛や快楽が内側から生じ、感情と気分の恒常性を感じさせる肉体的な身体は、かねてつねに手許にある確実な存在だと考えられてきた。常識が私の身体という場合、その「私の」がこの直接性をさしているのは明らかだろう。だが『ノート』で紙数を割いて検討したように、じつは身体の直接存在は皮膚の外に広がる伸縮自在な身体と同様、むしろそれ以上に疑わしいことが懸念されるのである。

端的な例をあげれば、いったい「眩《まぶ》しさ」や「喧《やかま》しさ」は身体の内外どちらの現象なのだろうか。光や音が外にあって、眩しさや喧しさが内にあるというのは直接的な体験ではなく、科学的な思弁の産物にほかならない。直接性という以上、あくまで直接なのは現れた現象であり、眩しさや喧しさそのものであるはずだが、これらは内とも外ともいえない場所にあるのはまぎれもない。考えてみれば、身体が直接に感じているのはことごとく現象であって、常識や科学のいう「刺激」ではない。現象するという一点を鍵とすれば、体内のだるさや軽快感も外界の眩しさや喧しさも、まったく等距離にあるといわねばならない。

また身体の内外が漸層的に繋がっていることを示すために、『ノート』が目配りしたのは「共感（empathy）」という概念であった。友人が指をナイフで切ったのを見た瞬間、私の背筋を走る悪寒のような感触が共感だが、これはさながら肉体の反射のように直接に感じられる。にもかかわらずそれは一方、痛みの実感とは歴然たる違いを示し、目を閉じたり注意をそらすことで身体はそれを拒むことができる。その意味で、内にあるようにも見え外にあるようにも見える、共感のこのいわば中間的な現れ方は、身体が画然たる外郭を持たず、体外になだらかに繋がっているという事実の、一つの例証と見なすことができるだろう。

しかもこの共感それ自体もまた、存在として曖昧な外郭しか持たず、どこにあるかを示しにくい現象であることは、『ノート』で指摘した通りである。共感を引き起こす相手は普遍的ではなく、目に見え耳に聞こえる人物の範囲に限られているうえ、逆にときとして人間以外の動物にまで拡がったりする。そのうえ共感の能力は人間の成長や経験の多寡によっても変化して、その及ぶ範囲をかなりの程度に伸縮させることが知られている。

急ぎ足に概観したが、このように身体はまずその外郭が不明確で、空間的にも時間的にも、どこからどこまでが身体であるのかまったく同定できない。ついでながらこれまでは空間的な拡がりを中心に見てきたが、身体の時間的な外延の曖昧さはそれ以上に明白である。たしかに生理的な肉体の寿命は生と死によって区切られるが、習慣の蓄積としての身体はいつ生まれていかに育ち、いかに衰えていつ耄《ほう》けるかわからないからである。

さらに急ぎ足になるが、もちろん世界には明確な外郭がなくても強力な中心があり、その求心力によって統一的な存在を保つ現象があることは知られている。たとえば太陽系が典型的な事例であって、外郭は海王星のかなたの外縁天体へと薄れて消えるが、中心の太陽は厳然として全体を引き締めている。だとすれば身体はもしかして、それに似た求心的な全体として「そこにある」といえるだろうか。

残念ながら答えはまたしても否であって、複数のリズムの輻輳体にすぎない身体に中心はありえない。まずリズムを乗せる媒体としての肉体を見れば明白だが、肉体の局所はどこをとっても全体の中心にはなりえない。心臓や脳は全体にとって不可欠だが、不可欠であることは中心であることを意味しない。そしてそれに乗せられているリズムとしての身体は、発生的には肉体から自由ではあるものの、その力で媒体の性質を変えることができないのは、リズム一般の事情であった。

内発的に生まれたリズムが肉体に乗り、そこに何らかの全体性をつくりうるのは、むしろそれが肉体の限られた局所に乗った場合だけである。ときによってリズムは聴覚に乗って音楽を生み、視覚に乗って美術を生み、運動能力に乗って舞踊や演劇を生むが、そこでは身体に何らかの人工的な抽象化が施されている。音楽作品は外郭を持ち、序破急に喩えられる完結性を帯びるが、それはあくまでも全身が聴覚を中心として再編成され、一時的にリズムの輻輳が局限された結果にほかならない。その証拠に個々の作品の外には無限定な作家の生涯があって、一作が終わればそれがいつか目を覚まし、次の作品に向けて暗中模索の日常を再開するはずである。

代名詞の示すもの——個物

外郭も曖昧、中心も見当たらない身体は、それでは現存在として「どこにもない」と断言するべきなのだろうか。身体はリズムの単位として発生はするものの、そのまま存続することはないと考えるべきだろうか。

じっさい現実世界の実態を見ると、身体の現象は別の意味でも不確実で、ほとんど儚《はかな》いといいたくなる窮状を示すからである。というのは、身体はかりにここにある事物として現象するとしても、現れるが早いか、ただちに事物ならぬ観念へと変質する傾向を帯びている。身体を見る側からいえば、姿態や表情のさまをつぶさに捉える代わりに、目をそらしてそれらに名前をつけ、その名前のほうを凝視するという弊風である。他人の容貌をくまなく目にとめ、それに数時間を費やす人はきわめて稀《まれ》であって、たいていは表情を数秒ばかり眺めたうえで、「美人を見た」「悪相を見た」と言ってすましているのではないだろうか。「美人」も「悪相」も観念であって、生きた身体でないのはいうまでもない。

この問題はじつは身体ばかりではなく、およそ事物と呼ばれる存在の現象に広く共通する落し穴である。世界はすべてまず事物として現れ、事物の滞積に埋められているはずなのに、意外にも事物はそれとして十分に現象する時間を持たない。身辺の些細《ささい》な事物はつねに現れているにもかかわらず、むしろそれゆえに容易に見過ごされている。食べかけのパン、絞りかけの濡れタオル、側溝に蹲《うずくま》る鼠といった事物に、十分な凝視を与えるだけの根気のある人物はめったにいない。

『ノート』ではこの問題をとりあげて、事物の現実的なあり方を「類的な個物」と名づけ、個物全般を「類」という観念に深く浸透された存在として捉えた。人が日常で触れるのは、「このパン」でありながら「パン類」でもある存在であり、「このタオル」でありながら「タオル類」でもある事物であり、「この鼠」と呼ばれながらじつは「鼠類」にすぎない現象だと考えた。もちろん身体も別格ではなく、「この身体」は「人類の身体」、「日本人の身体」と同一視されるのが通常だろう。

しかしこう考えることは、事物を現存在として危うい位置に置くことであり、ひいては観念優位の事物論を導くことになりかねない。『ノート』では私は事物が観念に接続し、観念に変わる過程は分析したが、それ以前に事物が純粋な事物である姿、事物が裸の事物である姿がどのように見えるかを考えていなかった。「類的な個物」がそれでも事物であることの明証、事物の事物性というべきものの明証に努力していなかった。

観念と事物の融合を例示するために、『ノート』ではとりあえず二つの事例、「神聖な事物」と「経済的に価値ある事物」を挙げておいた。宗教的な偶像がしばしば金銀という尊い事物に飾られ、貨幣も金銀や塩などそれ自体に価値ある事物を原型とする点を指摘して、事物そのものに価値観が浸透している例示としたのであった。だが当然、この説明にはあらゆる事物を類的と規定し、しかも観念に浸透されつつ事物がなおも事物であり続けるとする、本稿の主張を助ける力はない。

本稿のほかならぬこの箇所にいたって、私は「類的個物」がなおも事物であるあり方、事物性の現れ方というべきものを説明する必要に迫られてしまった。人は事物が事物として「そこにある」ことをどうして知るのか、名前も類別もない裸の事物をどのように直接に捉えているのか。私は理論的な窮地に陥ったわけだが、数日の模索の後に思いがけなく幸運が訪れ、一つの平凡きわまる、しかし助けになりそうな解決策が思い浮かんだ。

それは誰にとってもなじみ深い代名詞の使い方が暗示するもの、「あれ」とか「この」という表現が暗示するものであった。この直前に「類的な個物」の例を挙げたさい、私は「パン類」にたいしては「このパン」、「タオル類」にたいしては「このタオル」、「鼠類」にたいしては「この鼠」を対置していたことを思い出して頂きたい。そして本例の場合、「この」という指示代名詞はけっしてある名詞の代理ではなく、独特の漠然としたかたちでだが、しかし心理的に明確な喚起機能を果たしていることに注目して頂きたい。

日常において人はさまざまな対象を想起した場合、その対象の観念に思いいたらず、したがって名詞が思い浮かばない段階で、しばしば「あれ」「ほら、あの人」と口走ったりする。想起がやや深まって名詞が半ばだけ浮かんだ段階で、「ほら、あの髭面《ひげづら》の人」と名詞を代名詞で補足する場合もある。近親者のあいだで習慣が共有されていれば、「今日の靴はあれにしよう」などと、身辺の事物について情報伝達をおこなうこともできる。

　また想起ではなく現に直面している事物についても、それが「言わく言いがたい」独特の情景を見せているとき、「ほら、あの夕焼けをごらん」とあえて観念的な指示表現を避ける場合もある。そのほうが同じ情況下に立つ人間の共感が高まり、体験そのものの切実感も深まるからである。こうした「あの」や「あれ」は、いわば類的な個物が「類」の一般性に集約されるのを防ぎ、個物の事物らしさを守っていることに注意して頂きたい。

　ここに述べたすべての事例において、指示されているものはまさに事物であり、それを指示しているものは身体である、というのが私の思いついた解決策であった。事物は無数のアスペクト（側面）を含む複雑きわまりない存在であり、しかもそれを要約して単純化すると観念に変わってしまう厄介な存在である。事物を捉えるには、複雑なものを複雑なままに、要約も縮尺もせずに丸ごと捉えねばならないのだが、そういう能力は従来の認識論では知られていない。それは一対一で刺激に反応する感性でもなく、視覚、聴覚、触覚などと分立して働く従来の知覚能力でもない。あえていえば身体がみずからの全体を挙げて、知覚以前の知覚、認識以前の認識の能力として、もっとも原初的な次元で事物という対象を捉えていると考えるほかはないのである。

　一片のパンを「このパン」として捉えるには、視覚はもちろん味覚や嗅覚や触覚、さらには運動感覚も総動員しなければならない。しかも困難なことに「このパン」が注意に止まる場合、これら複数の感覚を理性的に整理して、代表的な一つの感覚を選びとることもできない。現実を振り返れば明らかなことだが、「このパン」は以上のどの感覚とも無関係に、それを買ったパン屋の名とともに印象に残ることもあるからである。繰り返して念を押すが、事物とその把握との関係は、事物とその観念の関係と同じではない。

ついでに思いだしておけば、『ノート』での私は事物と観念との関係、事物がそのまま観念に変化するなりゆきをかなり詳しく考察した。従来、観念と事物はとかく二元的に認識され、観念は理性の産物、事物は感性の対象と規定されたうえに、観念は何であれ向こう側にある事物を指し示す関係にあると考えられてきた。だが私は伝統的な二元論を排する立場から、事物と観念は一本の時間的な軸のうえにあって、その軸に沿ってなだらかに変化するものと見ることを提唱した。事物は複雑で多義的なアスペクトを持ち、身体の現在を強く巻き込む存在だが、それが過去の記憶に変わるにつれて巻き込みの力は弱まり、同時に忘却によってアスペクトの数も減って、観念の一義性と知的な冷徹さに近づくと考えるように提案したのだった。

この考えは『ノート』の出版当時、書評にも取りあげられ、哲学者、宇波彰氏のお励まし（公明新聞）を受けた思い出もある着想である。そしてこのかぎりにおける私の考え方には今も変わりはないが、それにしても反省されるのは、ここには事物そのものについての考察があまりにも乏しいことである。事物は観念との対比でたんにアスペクトの数が多い存在と片づけられ、それ自体がどのように把握されるかに関して一行の言及もない。今回『ノート』全般を反省するなかでも、これはたぶん最大級の重い問題だろう。

事物の把握の問題が難しいのは、これが知覚とも認識とも呼べない特殊な構造を持っているからである。すなわち知覚や認識が含蓄している主体と対象との距離、両者のあいだの志向的な関係がここにはまったく期待できないのである。身体は現在に生きるかぎりその時間に巻き込まれていると述べたが、これをいいかえれば、身体は現前する事物に巻き込まれているということにほかならない。一片のパンはただそこにあるものとして現れることはなく、多少とも快不快の対象、美醜の対象、欲望と嫌悪の対象として現れるほかはない。現にそれを食べている身体は満足の印象を併せ受け、食べかけて捨てられているのを見れば、「もったいない」という印象を避けられない。一片のパンですら、身体は感慨なしに事物に触れることはできず、その感慨を制御することもできないのである。

対象に巻き込まれながらそれを捉えるということ、いいかえれば客観的に対象化できないものを捉えるということ、この不可思議な営みをいったい何と呼べばよいのだろうか。「没入」というべきか「一体化」と呼ぶべきか、言葉はわからないが、しかし身体が事物を「言わく言いがたいもの」として捉えていることは確実であって、その事実を疑うことはできない。そして「言わく言いがたい」とはまさに観念化が難しく、類別化ができにくいということであるから、人は「あれ」「あの」というとき、知らぬまに日常の観念化の弊風に逆らっているといえるのである。

通常、「類的個物」の事物性はこうして静かに捉えられているが、ごく稀に同じ事物性が劇的なかたちで現れて人を驚かすこともある。J・P・サルトルの小説『嘔吐』は、その場面をなまなましく描いて広く知られている。主人公ロカンタンはある日、盤根錯節《ばんこんさくせつ》たる一本の木の根を見て、その形状の「言わく言いがたさ」に深く胸を打たれ、思わず嘔吐を覚えたという物語である。このとき彼が見たのは木の根の事物性にほかならず、彼はそれが「木の根」と観念的に呼んですまされない迫力を示し、置き換えようのない独自性を帯びてそこにあることに脅《おび》えたのであった。

この物語でサルトルはみずからの哲学的な立場を表明し、その木の根の「言わく言いがたさ」を彼のいう「現実存在」、略して「実存」の典型的な現れ方として描いたと理解されている。実存哲学の実存とはいっさいの観念を排除した事物のあり方、すなわち事物が命名された「何ものかである」ことを脱却して、純粋な個物として「そこにある」ことを意味している。したがってもし読者が哲学風の用語をお好みなら、事物のあり方を実存と呼ぶといいかえてもよいのだが、私の趣味としては、ただ代名詞の示す「言わく言いがたいもの」と表現するに留《とど》めておきたい。

「私」の事物性と現存在

ところで事物の事物らしさにはもう一つの大きな特性があって、事物はこの点でも観念と決定的に違っている。それは観念は変化することがないのに、事物はたえず変化を繰り返し、当然だが、そのたびに変化の後に変化しないものを残すという特性である。

一片のパンは一囓《ひとかじ》りすれば変化するし、濡れタオルは一絞りすれば変化するし、濡れ鼠も毛を乾かせばそれだけで変化する。そのさい肝腎なのは、変化する事物は必ず変化し残した部分を残すことであって、全体が消失したり別の事物になったりすることはないという点である。これにたいして観念は丸ごと消失したり別の観念に置き換わることはあっても、変化しながらなお同一の観念であり続けることはない。幾何学の円の観念は少し変われば円ではなくなり、多角形や楕円形といった別の観念に座を譲ることになる。その点、黒板に白墨で描かれた事物としての円は、一部を消されても問題なく円と見なされるだろう。

一片のパンは変化するが、類としてのパン類が変化することはない。もしパン類が米や饂飩《うどん》を含むように変われば「澱粉《でんぷん》食品類」と呼ばれ、鼠類が兎や栗鼠を含むことになれば「齧歯《げっし》類」という別の類が誕生する。理由は単純であって、何度も述べたように事物は無数のアスペクトを伴うが、観念にはアスペクトは一つしかないからである。要するに事物が変化するとはそのアスペクトが増減することであり、その後に変わらないアスペクトが残ることだといって大過ないだろう。

念を押すが、この場合、事物の全体とか部分とかいっても、それをいうために事物の輪郭や中心の概念は必ずしも必要がない。それがじつは変化という現象の特色であって、ものが変わるという感触は理性的な判断とは違って、きわめて直接的な身体の体験なのである。極論すれば、変化は部分の全体にたいする変化ではなく、変化の「変化し残った」部分にたいする変化だといってもよい。さらにいえば変化は、変化以前の状態と以後の状態との知的な比較の体験ではなく、変化しないものの持続の内に起こる質的な体験である。現に人は一片のパンを囓るとき、囓る以前のパンと以後のパンの比較などはしていない。変化は囓る運動の一瞬のなかで、同一の一片の変質として感じられるはずである。

こうして変化し続ける事物はそのこと自体によって、事物の「変わらない」アスペクトの存在を証し立てる。事物は変化することそれ自体によって、変化しうるものが「そこにある」ことを示し、変化せずに残ったものが「そこにある」ことを現す。この独特の現存在は「言わく言いがたいもの」であり、「あれ」とか「これ」としか言いようのないものであるから、それが印象に残るかたちも独特のものになる。先にも触れたが、一片のパンの印象がパンの観念的な本質とは関係なく、それを買ったパン屋の名に結びつくという奇妙な現象も十分に起こりうるのである。

事物の現存在のこの独特のあり方は、考えてみると面白いことに、本稿で謎としてきた人間の身体の現存在を説明するのに有効であるように思われる。私は第二節以来、リズムの一単位としての身体が外郭も中心もなく、単位としての完結性が不十分であることを憂慮してきた。しかも身体を事物の一種として捉えると、さらに事物一般の宿命のもとで、それがたえず観念化され、事物としての現存在が危うくなることを懸念してきた。

本稿で事物性のあり方の問題を検討した結果、今では先の懸念が払拭されるとともに、意外にも人間の身体に固有の現象、いわゆる「私」の不思議にも一脈の光が射したような気がしている。じつは「私」という存在は哲学の永遠の謎であって、私も『ノート』に一章を設けて大いに苦吟した課題であった。通常、「私」は自我、主体などと同一視され、いくつかの視点から観念の次元で議論されてきた。私も『ノート』ではそれに倣い、自己の身体知覚の直接性、意識の恒常的な覚醒、意志決定の自由などを検討してみた。

しかし結論は、いずれの観念もそれ自体の内部に問題を孕《はら》み、どの一つも他を凌駕《りょうが》して「私」の中核の地位を襲うことはできないというものであった。やむをえず私は三つの観念が共存して輻輳し、「私」という存在を合成していると考えたのだが、正直いってこれには若干の不満も残った。なぜなら私の日常の実感を顧みると、一方で「私」は昨日も今日も同じ「私」であり、ときには十年も変わらない同じ「私」であって、明らかな同一性が感じられるのに、その同一性の根拠が説明できないと思われたからである。

しかし本稿に着手するまで、私には問題は焦燥感としてわだかまるだけで、解決のためにどんな新しい着眼点がありうるかもわからなかった。白状すれば、『ノート』で中断した「私」の考察をあらためて試みる気持ちになったのは、前節で事物の事物性について一つの見通しがついた後であった。私はみずからの学問的教養史のなかで初めて、「私」を自我や主体と完全に切り離して、事物の一種として扱う着想に目覚めたのであった。

この着想のもとで再考すると、日ごとに感じられる「私」の同一性は、じつは「私」の変わりやすさと背中合わせに感じられていることがわかる。天候も変わり気温も変わり、それに浸透された身体の気分も変わる。体調も日々に変われば、家族や社会の環境も朝な夕なに変転する。指折り数えられる現象は変化ばかりなのに、なぜかそれを貫いて実感されるのが、しかも疑いがたい確かさで感じられるのが「私」の同一性なのである。「私」の同一性は変化それ自体の生んだ産物であって、まぎれもなく事物のなかの「変わらないもの」にほかならない。もちろんその「変わらないもの」の具体的な内容を問われて、答えられる人はいない。誰しもが「言わく言いがたい」独特の感じ、「ほら、あの感じ」としか表現しようがないものだろう。要するに、「私」とは本質的に「言わく言いがたいもの」であり、代名詞でしか指し示せないものであるから、それゆえにこそいみじくも「私」と呼ばれているのである。

ギブソン『生態学的視覚論』を読む

本稿の構想をこのあたりまで進めたころ、私はたまたま一冊の興味深い書物にめぐりあった。J・J・ギブソンの『生態学的視覚論』(James Jerome Gibson, *The Ecological Approach to Visual Perception*)という本で、原著で三百四十六ページ、邦訳では三百六十二ページという大冊である。著者は実験心理学者だが哲学の素養もあり、従来の自然科学的な心理学を覆す理論的な構築に優れている。一九七九年のアメリカでの初版だが、理論の斬新さはますます説得力を増し、日本でも専門を問わず広く影響を及ぼしているようである。

まずギブソンが私の興味を惹《ひ》いたのは、彼が哲学のうえで伝統的な一元論的二項対立に反対し、その意味で心理学を標榜《ひょうぼう》しながら、自然科学的な世界観に背を向けている点であった。近代の自然科学は物質一元論に立ちながら、知覚や認知という主客関係の問題を処理するために、その一分野たる心理学のなかに二項対立を忍びこませてきた。知覚する肉体内の神経器官と、知覚される肉体外の多様な刺激対象との二元的対立である。たとえば視覚の場合、まず外界の光が刺激として網膜に写り、次いで視神経がその倒立した網膜像を脳に送ったうえで、脳の視覚中枢がそれを外界の光景として加工していると考えるのである。

人間の眼球をカメラになぞらえ、網膜像を写真の映像に喩える周知の理論だが、ギブソンはこれを全面的に否定する。この説では脳内の神経活動の子細が未解明であるうえ、そもそも固定された頭部の固定された眼球に光が届くというのは、実験室のなかでしか見られない特殊な状況設定にすぎないと彼は反論する。現実の人間はたえず周囲を見回し、歩き廻《まわ》り、動きながら目だけではなく、身体の全体でものを見ている存在だというのが、ギブソンの主張の大前提になるのである。

これは刺激と受容、外界と内面という二項対立に正面から異を唱える着想であって、私が関心を惹かれたのもまずこの点であった。ギブソンは知的に周到であって、この対立を排するために対立しようのない一組の対概念を用意する。刺激する外界に代わるのが「環境」であり、受容する内面に代わるのが「行動する生物体（動物）」である。これにつれて従来の自然科学用語の多くが廃棄され、あるいは意味を大きく変えることになる。

たとえば従来の科学で「物質」と呼ばれてきたものは捨てられ、代わりに「媒質（medium）」と「実質（substance）」という二つの用語が使われる。空気は陸生動物にとっては非実質的な存在であり、呼吸のためには必要だが、目にも見えず運動の支えも提供しないという点で、「媒質」として分類される。水と陸（液体と固体）だけが実質であって、他の実質や媒質との境界に「表面」をつくって、それによって目に見えるものになる。

光もここでは科学的な光学の概念とは趣を異にし、無限空間を直進する現象とは考えられない。生きた動物にとって光は周囲から包み込む環境であり、表面からの反射によって構造化された「包囲光」を形成する。この包囲光のなかで水も陸も幾何学的な空間ではなくなり、表面は「配置」を持ち「肌理《きめ》」を備えた「地面」として、さらには「縁」や「隅」をかたどる壁面として現れる。

目に見える景観はこうして現れるのだが、さらに具体的には複数の表面が重なり合い、観察点との関係において出没する「遮蔽縁（occluding edge）」が視界を決定する。視界の一部が他を隠す表面となり、また隠される表面となってその縁が一線を画し、両者を分割するとともに接合する。両者の関係は観察点の移動につれて、あるいは対象の移動につれて変化するが、いずれにせよ直接には遮蔽縁そのものの移動として感じ取られる。

注目すべきはギブソンがこうして環境を再定義するさい、好んで環境の側に積極性の印象を与える用語を用い、環境が生活主体に働きかけているような感触を醸し出していることだろう。そもそも環境を“surrounding”と呼び換え、大地面の起伏を「配置（layout）」と名づけ、地質の構造を「肌理（texture）」に擬《なぞら》え、表面の重なりを“occluding”と他動詞の現在分詞を使って言い表すのは、一つの着実な意図を予想させる。それは環境の側に静的な物質を超えた能動性を与えると同時に、生活主体の側に一定の受動性を認めようという、いわば一石二鳥の企てなのである。

「アフォーダンス」と「不変項」

ギブソンを世界的に広く知らしめ、日本にも多くの追随者を生んだのは、ほかならぬ彼の「アフォーダンス」理論であることは疑いない。「アフォーダンス」は彼みずからの造語であって、『視覚論』のなかで彼が特別に一章を割いて力説した主張でもある。

理論としてとりわけ難解な内容ではないが、注意せねばならないのは、「アフォード（afford）」という動詞が英語に特有なものであって（ドイツ語の“auffordern”が近い）、単一の邦訳が見当たらないということである。おおまかには「人に何かをすることを許す」、「させるように人を誘う」というような意味を含んでいて、ギブソンはその回りくどさに着目したわけだが、これをさらに名詞化した「アフォーダンス」が邦訳できないのは無理もない。翻訳者（古崎敬、古崎愛子、辻敬一郎、村瀬旻）は片仮名語をそのまま術語として採用し、それが巷間《こうかん》に普及もしているようだから、本稿もそのまま先例に倣うことにした。

著者の言い換えを借りれば、環境が生物体にアフォードするとは何ごとかを“offer”することであり、“provide”したり“furnish”することであるという。いずれも与えるとか用意するとか備えつけるといった動詞だが、“offer”には「誘いかける」という意味があることに注意したい。

ギブソンの本意とするアフォードとは、付与とか提供といった単純な他動詞ではなく、間接に機能して他者の積極性を招き出すこと、相手の行動に働きかけることを含蓄しているからである。

俗にいう自然物も人工物も含めて、すべての環境はそれぞれの生命体（動物）ごとに、それが生きるためにおこなうべきことを教えている。陸生動物の場合、水はそれがあることによって飲むことや洗うことを教えるし、水平な土地は歩くことを、斜面や壁面は登ることを存在そのものによって示唆している。垂直な壁面を見て動物が登りたい気持ちになるのは、その表面に「取っかかり（hold）」があってそれが誘うときに限られる。

自然物はさらにその形状、大きさ、硬度や弾力によって、人を特定の方向に加工したい気持ちへと唆《そそのか》し、さまざまな道具を作らせるが、この道具がまたその存在によって人を行動へと駆り立てる。ナイフと斧は二種類の切り方を区別するように教え、容器の取っ手はそこを握って全体を支えるように指示し、郵便ポストは街ごとに存在することによって、市民に手紙を書くように慫慂《しょうよう》している。

もはやくどくど例示するまでもあるまいが、ここに挙げた日本語の動詞のことごとくが、英語に訳せば「アフォード」となり、それを名詞化すれば「アフォーダンス」になる。環境は行動の外に客観物として疎遠に存在することはなく、最初から行動者の内部にめり込んだかたちで主体性を導くのである。注意すべきはギブソンがこの発想を知覚の次元にまで広げ、人が対象を見て知覚するものは、「対象の性質ではなく対象のアフォーダンスである」と念を押していることだろう。

じつはこの念押しはギブソンの知覚論の全容にとって重要であって、彼にたいする私の次の関心、すなわち「不変項」の問題にも繋がるのだが、ここでは対象の性質とアフォーダンスの違いだけを瞥見《べっけん》しておこう。けだしものの性質は枚挙的であって、目にとまるすべての性質を列挙しなければ知覚は不完全になるが、アフォーダンスの働きはいわば「経済的」であって、中核部分を把握しただけで完全な知覚を得ることができる。その知覚の中核部分をとくに重視して、彼は「不変項」という独特の術語を当てているのである。

ついでながら「アフォーダンス」論の大規模な展開はギブソンの功績だが、この概念そのものの淵源《えんげん》はやや先行したゲシュタルト心理学者にあったようである。彼がみずから紹介しているように、一九三五年にK・コフカが『ゲシュタルト心理学の原理』という本を書いて、このなかで対象の主体への誘惑力を「要求的性格」という名で呼んでいた。また用語そのものもドイツのクルト・レヴィンが発案し、"Aufforderungscharakter" と記していたものが、"invitation character" "valence" などと英訳されたらしい。

ギブソンはみずからの独創性を強調するかのように、これらゲシュタルト学派との違いを際立たせようとしているが、残念ながらこのくだりの議論にはあまり説得力がない。コフカがアフォーダンスをやや主観寄りに理解し、主観が対象に付与する性格として規定したのにたいして、ギブソンはあくまでそれを対象の客観的性格と見なそうとする。だがもともと主観と客観のあいだに起こる現象について、この議論はそのままでは深まらないのが当然であって、私としては後ほど問題を独自の観点から再考したいと考えている。

そこであらためて「不変項」の概念だが、これまでの『ノート』の文脈からいえば、これはアフォーダンス理論に勝るとも劣らない重要性を持っている。不変項とは数学用語であって、ギブソンが比喩として数学を挙げたから邦訳者もこの抽象語を借りたにすぎず、本来は「変わらないもの（invariants）」一般を意味している。ギブソンにとって、「変わらないもの」はあらゆる知覚の原点となる対象であり、先にも触れたが知覚対象としてのアフォーダンスそのものにほかならない。

当然のことだが、変わらないものを重く見るギブソンの目には、世界は永久にたえまなく変化するものに満ちている。この変転する世界のなかに、それゆえにこそ相対的に「持続する（persistent）もの」が存在していて、これが知覚の対象になるのである。冒頭、彼の挙げる例を見ると、その変わらない存在は科学的な物質の永続性と区別されていないように見える。移動する家具の配置よりも、固定された家屋の壁や床や天井のほうが「変わりにくい」といったりするからである。

だがこれが彼の筆の誤りに過ぎず、彼の本意は科学的な物質どころか、むしろ私のいう「類的な個物」に近いことが明らかである。ギブソンは自著の巻末近く、子供の目に映った猫のじゃれる姿を挙げて、「変わらないもの」の典型的な現れ方を示している。子供の目には前から見た猫、横から見た猫、上から見た猫の総合ではなく、最初から一匹の「変わらない猫（invariant cat）」が現象している。子供の知的水準は未熟だから、この猫は抽象化や概念化の産物、つまり「猫という類に共通な特徴」の集合ではない。見られているのはあくまでも、「表面の配置（layout）の存続」、「独特の柔らかい毛に覆われた、動き回る」現象にすぎないのに、しかもそれが「変わらない一匹の猫」なのだという。

のっけから「類的な個物」は否定されているように見えるが、ギブソンがこの「毛に覆われた動き回る」現象を「猫」と呼んでいるのはなぜなのだろう。それどころかその柔らかさを「独特の（peculiar）」と呼んで、猫という事物の具体性に深入りせずにすましたのはなぜなのだろう。およそ事物の「表面の配置」に徹底して拘泥し、それをそのまま言葉にしようとすれば、事物はアスペクトの多様性を無限に露《あら》わにして、記述は収拾がつかなくなるからにちがいない。

明らかに、ギブソンの子供は「類的な個物」としての猫を見ているのであって、胸のなかでそれを猫と呼びながら、あるいはその固有名詞を呼びながらともにじゃれあっているのである。実況はきわめて微妙というほかはなく、事物としての猫のどの部分が、どの姿態が十分、判明に見られているのかは定かではない。毛並みか、色模様か、顔立ちや体つきか、それとも尻尾のくねらせ方かは、猫ごとに飼い主ごとに、さらには出会いの状況ごとに違うだろう。要するに猫の姿は変化してやまない現象だが、不思議なことにその変化のなかの一相が、何者かに選ばれたかのように「変わらないもの」として固定するのである。

そしてこの「変わらないもの」こそアフォードするものであり、アフォードすることによってそれと知覚されるものであることはいうまでもない。猫のアフォーダンスは愛玩されることだろうが、だとすれば猫の「変わらないもの」は愛らしさ、愛嬌があることにちがいない。この性質は直接に知覚される対象であって、分析にも馴染まず、抽象化の手数もとくに必要としない、知覚の手続きとしては、たしかに「経済的」なのである。

ちなみに本稿第三節において、私が事物の「変わらない」同一性に関して、その内容を代名詞でしか示せない現象、通常の言葉では「言わく言いがたいもの」と表現したことを思い出して頂きたい。その点ではギブソンが彼の猫について、その「変わらないもの」の抽象性や概念性を峻拒《しゅんきょ》して、それが「類としての共通の特徴」と無縁であることを強調したことも、半ばは理解することができる。私自身も「類的な事物」の「類性」を退け、その事物性の純粋化を試みたのであるから、ギブソンと基本的な見解を共有しているといわねばならない。一方、ギブソンの猫が「独特の柔らかい毛」に覆われて、事実上、「言わく言いがたい」魅力を撒いていたことも重ねて強調しておくことにしよう。

こういう「変わらないもの」を知覚の原点に据え、あらゆる認識の出発点に置いたのはギブソンの功績であって、彼の先進性に私も敬意を表したい。にもかかわらず一方で、私としては「類的な個物」の孕む緊張、観念と事物の対立的な連続の考え方に固執したいと考える。現実の体験に立ち返ると、「変わらないもの」の同定には時間のかかる場合があって、その過程で人は観念と事象のあいだを往復していると考えられるからである。

たとえば猫が目前を飛ぶように走り過ぎたとき、あるいは毛布の山に埋もれて眠っているとき、人はどのようにそれを猫と認めているだろうか。人はまず不明の対象を猫ではないかと疑い、その観念を手がかりに事象に向かい合うはずである。次いで走り過ぎた場合なら記憶をたどり、眠っている場合なら手と目を近づけ、猫として十分な「変わらないもの」が見えるまで事象を探るだろう。そのさいもし最初に猫という観念が頭を掠《かす》めなかったら、人はたんなる「何か」を手がかりに事物に立ち向かうことになり、現れる事象のアスペクトの多さに困惑するはずである。ただの「何か」では探索の動機として不十分だから、重畳《ちょうじょう》するアスペクトの山をまえに探索の意欲は半ばで萎えてしまうかもしれない。

またちらとだけ見て、すれ違った他人の相貌を思い出す場合も同様である。見た人はその印象を漠然と記憶に留め、「ほら、あれ、あの人」というかたちで当面の「変わらないもの」を獲得する。だが必要があればここから印象の精査が始まるわけで、その過程でやはり観念と事象とのあいだの往復が試みられる。記憶像は現在の事象に比べてアスペクトの数は少ないものの、その多様性をできるだけ増やすべく努力が重ねられるだろう。

そのさい大きな役割を果たすのが「類型（type）」であって、丸顔、面長といった全体の類型、鉤鼻《かぎばな》、頬髭《ほおひげ》、二重瞼《ふたえまぶた》など部分の類型が「変わらないもの」の端緒を形成する。類型は類的な個物の濃縮版ともいうべき現象であって、一面では概念化されているが、鉤鼻、頬髭などの事物性を十分に含んでいる。人はここから類型の事象性の拡大に努めるのであって、「鉤鼻がめだつ面長の髭面」といったぐあいに記憶像を充足してゆく。可能なら似顔絵師の協力を得て記憶像を画像に写し、その画像を見ることによって印象を再確認する方法もある。いずれにせよ端緒となる「変わらないもの」が事象化できる観念、観念に密接した事象であることが必須だろう。

とはいえこの点に関するかぎり、このうえギブソンにたいする駁論《ばくろん》は必要ないだろう。だいいち彼は「不変項」の観念性は否定するものの、事物の「意味」や「価値」、運動の因果関係も直接に知覚できることを認めているのである。本稿全体の主旨からいえば、私は身体を含むすべての事物が相対的に変わらないものであること、変化のなかで変わり残るものであることについて、認識を共有する先人を得たことに満足すべきだろう。

アフォーダンスと文化的習慣

ただ、ギブソンの全体を読み終わって率直に思うのは、彼のアフォーダンスの概念がとかく静的というか固定的というか、自然物に似た存在として捉えられているという憾みである。彼は根本的に現象学と近い考え方をするものの、やはり自然科学的な発想の残滓《ざんし》を払いきれていないということだろうか。

先にも触れたが変わらないものを論じるにあたって、彼は室内の家具の配置に比べて、家屋そのものの基本構造体のほうが変わりにくいと匆卒《そうそつ》に述べていた。明らかに物理的にはその通りだろうが、これは彼自身のアフォーダンスの理論に矛盾する。たとえば長年、特定の安楽椅子に座り馴れた老人にとって、その椅子への執着は家屋全体にたいするよりも強く、それに座る誘惑は何ものにも代えがたいという場合があるだろう。ギブソンによれば、アフォーダンスはアフォードされる動物との関係によって決まるというのだから、老人から見れば椅子こそが変わらないものの筆頭であり、知覚の対象として全世界の中心を占めているといえないだろうか。

またこれも先に引いた件だが、彼はK・コフカのゲシュタルト心理学を批判して、この学派のアフォーダンス理論が主観の力を強調しすぎると非難した。アフォーダンスを「慫慂性（invitation character）」「誘意性（valence）」と解釈するこの学派は、誘われる主体の感情を重く見て、その欲望や意欲がアフォーダンスを生むと説明するのだが、それは誤りだとギブソンは声を大にする。

具体的な争点は街の郵便ポストの意味についてだが、まず人間の側に手紙を出したいという意欲があり、それが街中にポストが散在して投函《とうかん》を誘っている原因だというコフカにたいして、ギブソンはポストは人の意欲と無関係に投函を誘っていると反論する。当面、一個人が手紙を出したいと思っているかどうかとは関係なく、郵便制度のある国ならどこであれ、ポストはいわば客観的に人の郵便発信行為を促しているというのである。

たしかにポストは街の恒常的な施設であって、通りすがりのどんな人の目にもとまり、誰にとってもそれが郵便投函の装置だと理解されるという点で、固定的な意味と価値を持つ存在であるのはまちがいない。そしてアフォーダンスは現象の心理効果ではなく、現象の意味であり価値であるというギブソンにとって、この論争における彼の立場は論理的に一貫している。そもそもアフォーダンスとは環境の側の積極性を認め、主体の側の受動性を重く見る考え方なのだから、コフカが主体の意欲を前面に押し出したのは、きわめて初歩的な錯誤というほかはないだろう。

しかしながら、いったんこの論争を離れて視野を拡げると、アフォーダンスを客観的な現象と見なすギブソンの主張には、重要な一つの前提の見落としがあることに気づく。いったい客観性とは何か、客観的と呼び慣わされているものはどんな存在かということである。そして唯物論のドグマを排して考えるかぎり、客観とは多くの人が一致して承認し、共同体の共通理解となっているものにほかならないだろう。その背後には社会の風習、制度があり、さらにその背景には個人が教育によって獲得した習慣があるはずである。

客観の反対概念は主観だろうが、この文脈でいえば、主観とは一人の個人の思い込みに過ぎないものをいう。教育ある個人が教養の規範（discipline）に従い、冷静に知覚する対象はすべてが客観的というべきだろう。より高次元の客観性、たとえば科学的な客観性を求めるには、この規範を一段と専門的に厳格化し、共同体の審査を制度化するだけのことである。一般社会においても規範の高度化は随所でおこなわれていて、風習は法や政治制度と化して客観性を強められている。

客観性の基礎にあるこの動的な背景、社会制度の背後に風習があり、そのまた背後に個人の習慣があるという仕組みを、ギブソンは彼の心理学説のなかでまったく見落としている。環境にアフォードされる主体は生態学的な動物だとしながら、その生態のなかに後天的な習慣が含まれることを一顧だにしていない。とくに主体が人間である場合、すなわち生態の大半を習慣が占める人間の場合、この見落としの帰結は深刻であって、アフォーダンス理論の根本に混迷を招きかねない。

現に郵便ポストの実例に戻っていえば、ポストが客観的な存在として人をアフォードするのは、郵便制度が整った国に限られると、ギブソン自身が前提していたはずである。当然、郵便制度は人が恒常的に手紙を書き、その配送を他人に託すのを習慣としている社会にのみ生まれる。人が文字による情報を個人間で伝え、そのことに喜びを覚える習慣を持つ社会、さらに託送する他人を信頼する習慣を備えた社会にしか郵便は育たない。

繰り返すが、個別の個人が手紙を書きたいと意欲することと、共同体が手紙を書く習慣を持つこととはまったく別の話である。コフカのように、前者が郵便ポストを生むというのはもちろん誤りだが、ギブソンのように、客観的なポストが人に通信をアフォードするというのも、短見としかいいようがない。そして注意すべきは、習慣という文化現象を観点に導入すると、アフォーダンス理論の全体が大きく修正されるということである。

たとえばギブソンは、平坦な大地が人間に歩くことをアフォードし、取っかかり（hold）のある急坂が登ることをアフォードするというが、これは人間が二足歩行を習慣としているからにほかならない。現に四足歩行の獣類は居住環境として起伏の多い大地を好むし、急坂に取っかかりがあろうとなかろうと手を使わない動物には関係がないはずである。

また食物は動物に飲み食いをアフォードすると、ギブソンは当然のように語るのだが、これも一日三食を習慣とする近代人の場合、若干の修正が必要になるだろう。習慣は第二の自然となって、絶え間なく食欲を感じられる人間はいないからである。いわんや夜の灯火や焚火《たきび》など、火が人間にアフォードするのは習慣の結果だし、獣皮や繊維が衣服としてアフォードするのも、有史以来の習慣にすぎないことは誰もが知る事実だろう。

もしギブソンが習慣を人間の第二の自然として受け入れ、アフォーダンスの具体例を再検討し始めたなら、結果は面白いことになっていたかもしれない。彼は視覚の現実として一点消去の線的遠近法を否定していて、その理論は十分に説得的なのだが、一方でこの遠近法が西洋近代の習慣になっていることも事実である。彼が誤りと見る遠近法が人間にアフォードするのかしないのか、答えを聞きたいところだが、それは今は亡き彼に代わって後継者たちに期待するほかはあるまい。

「変わらないもの」と「詩的」知覚

習慣の問題をめぐってギブソンを批判したが、重ねていうまでもなく、これで彼のアフォーダンス論の核心が傷つくわけではない。何が何にいかにアフォードするかという点に問題は残ったが、アフォーダンス現象の基本構造、すなわち主客関係の相互浸透の構造にはいささかの問題もない。肝腎なのはあくまでこの構造であって、そのまえにはじつは関与する感覚機能の区別、視覚や聴覚といった知覚の種類の区別さえ、ギブソンの意に反してどうでもよいことがわかるのである。

もう一度、私自身の選んだ実例に即して考えてみよう。誰もがなじみ深い庭の飛び石の例だが、ここには主客の相互浸透、「変わらないもの」の現れ方がともに典型的な姿を見せるからである。今、庭に平坦な石塊が適当な間隔で並べてあれば、ほとんどの近代人はそれが飛び石であることを直観し、そのうえを踏んで歩くように誘われるだろう。石の配置を眺めた瞬間、身体がみずから反応して、歩幅を調整させられてしまうのである。

ここには柵や溝のような物理的な強制もなく、飛び石を外すなという内面のタブーもないから、起こったことが環境のアフォーダンスであることは明白である。面白いのは、直観が捉えたものが適当な間隔で並んだ石であることであって、これを捉えた直観がたんなる視覚ではないということである。そこには足による石塊の触覚が加わり、歩幅の大きさを測る運動感覚も加わり、とくに石の間隔の「適当さ」を直観する知覚は、三つの知覚能力の総合をさらに超えた力を備えている。注意をしたいのは、ギブソンのいう「変わらないもの」がこのような微妙な内容を秘めていることである。

思い出せば彼自身が変わらないものを語るとき、その内容は感覚的な刺激の種類を超えていて、当然、知覚機能の分類の枠から外れていたことであった。「平坦な大地」といい「取っかかりのある急坂」といい、人をアフォードする環境状態は単一の知覚に帰せられるものではなく、すべて複合的な把握能力を予想させるものばかりであった。とりわけあのじゃれる猫の例にいたっては、アフォードするのは猫の「愛らしさ」だから、もはやいっさいの知覚を超えてさえいるといえる。

このような変わらないものを一括して、別の名で呼ぼうとしたときどんな命名がありうるのか、私にはわからない。常識的には「印象」という言葉が近いが、哲学界にはH・ウェルナーの「相貌的（physiognomisch）」という術語があったことも思い出される。いずれも曖昧なようで不思議に的確な要約、部分の一片を指しながら全体を彷彿《ほうふつ》させる表現を意味している。私としてはそういう表現を総括する代名詞として、さしあたり「詩的」という命名がふさわしいかと考えている。

本稿を閉じるにあたって、もう一言、アフォーダンスとリズムの哲学の全般的な関係、その関係づけの期待される展開について述べておきたい。庭の飛び石の事例がたまたま暗示していることだが、アフォードするものとされるもののあいだには、ひょっとすると同じ一つの力動的な関係、ほかならぬリズムの力が広く働いているかもしれない。少なくとも飛び石の配置はそれ自体の内部に運動を秘めていて、人間の習慣としての歩幅、前進する弾みの勢いをかたちのなかに含んでいる。それを踏んで歩く運動と、そうするようにアフォードする石塊のかたちは、もともと同じリズムが生み出していたと考えられるのではないだろうか。

この事例を敷衍《ふえん》して、ギブソンのいういっさいの環境、大地や水や包囲光のすべてがその内部に潜在的なリズムを含み、生命体の生きるリズムと照応しているかどうか。いいかえればアフォード現象はリズムの現象に包摂されるかどうか。これはリズムの哲学の展開にとっては魅惑的な主題だが、その本格的な解明にはいずれ稿を新たにしなければなるまい。（了）

〔『アスティオン』第92号、二〇二〇年六月〕

哲学漫想4

リズムの発現と言語文明

言語の第一の矛盾——偶然性と強制力

考えれば考えるほど、言葉とは大きな矛盾の塊であることがわかる。正反対の現象が結び合い重なり合って癒着し、一つの別ち難い生命体に似たものを花開いている。しかも面白いことに子細に見ると、その正反対の両極は互いに求め合って、相手の内部に潜り込もうと努めているように見えるのである。

まず言葉はその起源の点でまったく偶然的であって、理由も由来もなく生まれているくせに、あたかも天の摂理のような強制力を帯びて人を動かしている。そもそも一つの国語のなかに使える音の数がどれだけあるか、音韻の種類がどれほどあるかということさえ、人が生まれたときに理不尽に決まっている。日本語に英語の「th」の音がなく、「l」と「r」の区別がないことはまったくの偶然としかいいようがない。それをいえばすべての単語も文法も、書き言葉の表記法も、一部について後付けの理屈はあっても、全体としては何の説明もなく与えられている。

ついでながら、言葉には意味というものがあって、世界の森羅万象を指し示しているようにいわれるが、じつは単語を見るかぎり意味もまったくの偶然の産物である。日本語の「うし」があの短角、四足の草食家畜を意味するのには何の理由もなく、ただ昔からたまたまそうと決まっているからにすぎない。その偶然の習慣になぜか強い強制力があるために、「うし」があの家畜を意味していることを疑う人がいないだけの話である。そして両者を結びつけているのがただの偶然だとしたら、言葉が意味を介して対象を指し示しているという常識にも、はたしてどれだけの説得力があるだろうか。言葉の意味の問題については後に詳しく再論することになるが、とにかく言語の偶然性の根は深いのである。

これほど偶然の存在なら恣意的に変えてもよさそうなものだが、しかしそれがほとんど不可能なのが言葉という現象である。じっさい国語改革の試みは各国で見られたが、抜本的な国語の変改はほとんど起こっていない。奇妙な理由だが、言葉はまさに偶然的に生まれ、気がつくと空気のようにそこにあって、誰もそれを本気で変えようという衝動に駆られないからである。同じ社会現象でももしこれが政治体制や経済体制であったら、人はその体制が論理的な主張を秘めていることを感じとり、その主張を暴き出してときに激しい抵抗をすることだろう。だが言語にはそれがあるための秘められた主張もなく、結果としてあるという存在感さえ乏しいために、それを敵視する勢力も現れにくいのである。

何万年ものあいだ、人類は偶然に与えられた言語を受け入れ、これまた偶然に誕生する子や孫に伝え、ほとんど自然現象のように消長する言語に包まれて暮らしてきた。近現代になっても事態は変わらず、言語は今日もたえず偶然のうちに生み出され、にもかかわらず人を強制的に従わせるという性質を保っている。日々に新語、俗語はおびただしく現れては消えるが、そのなかで廃れずに残って通用するのは偶然の産物のほかにはない。

わけてもとくに恣意的に生まれるように見えるオノマトペでさえ、この言語の矛盾を如実に示しているのが面白い。時計の音の「チク、タク」はたぶんそれが世に出て以来、一度も変わらず「チク、タク」であり続けたはずである。「チク、チク」や「タク、タク」など、競争力のありそうな代替語を抑えて、偶然にも一頭地を抜いた一語が後世を支配した。ついでにいえば「ピン・ポン」も同じであって、この語がいったん誕生すると完全な独走状態が始まり、やがてオノマトペではなく一つの球技の名称の座を奪ったのだった。あの球技の名がどんな手続きのもとで、いつ世界的に承認されたのか、誰も知らない。

言語は偶然の産物だから強制力を持つというこの逆説は、その逆もまた真であるというところが興味深い。言語の強制力は科学の法則のような普遍性を持たず、共同体の随時、随所でかってに働くから、多様な強制力が互いに並行したり衝突して作用し、それがさらに言語を偶然の産物へと導くのである。

近代の日本語の実例だが、俗にいう「ら抜き言葉」というものがあって、「見られる」「食べられる」を「見れる」「食べれる」と省略する習慣がある。大正期以来、東京方言として始まった誤用が全国に広まったものだが、注目すべきは、この流行語の成立に文法という強制力が力を貸していることである。

「られる」が「れる」に変わるさい、誤りはこの二語だけでなく文法的に同じ活用、上一段、下一段、カ変活用動詞に助動詞の「られる」が続くとき全般に及ぶことになる。「来られる」はまるでそれが当然のように、躊躇《ちゅうちょ》なく「来れる」と誤用されたのである。

文法が文法の誤りを助長したというのは皮肉だが、これは歴史上、言語が変化し続けたことの秘密を明らかにするかもしれない。言語の変化は共同体の習慣の変化の一種であるが、習慣が習慣であるままに変化するには、それが習慣であるための基本条件を守らなければならない。眼目は身体がほとんど自動的に、しかも高度の規則性を帯びて動くことであって、現に身体はそのようにして言語を操っている。これが変化する場合、発端は小さな共同体の習慣破りとして起こるはずだが、その違背は初めから習慣の維持へ返ろうとする傾きを含んでいる。小さな共同体の習慣を破る行動は、そのままより大きな共同体の習慣を維持するかたちをとりがちになる。

すべての習慣破りは偶然に起こるが、言語の場合、破られた結果が強制力を発揮し、新しい習慣の規則性を固めようとする。小さな共同体はその新規則によって再編成されるわけだが、そのさいより大きな共同体の規則との衝突は避けるように努められる。言語はたえず変化し続けながら、他方で世代を超えた通用性を保つものだが、それはこの両者の共同体の妥協の結果だといえるだろう。

言語の第二の矛盾――順時態と同時態

こうして言語は偶然性と強制力という対立する極を内に孕《はら》み、相互の緊張と促し合いによって成立し変化するわけだが、これとは別に言語にはもう一つ、重要な対立軸が貫いてその存続を支えている。前者が言語の発生の原理となる矛盾だとすれば、第二の矛盾は言語の生態を決める原理だといえる。ほかでもない、それは言語に不可欠な音響と形態、時間的要素と空間的要素、厳密にいえば順時態と同時態、常識的には話し言葉と書き言葉の対立だといっても大過はないだろう。

話し言葉と書き言葉といえば、とかく世間では前者は投げやりな言葉、後者はかしこまった言葉という印象もあるようだが、もちろんここでいう両者の相違はそんなものではない。話し言葉は音声に頼る言語、書き言葉は文字を使う言語という違いがあるだけで、互いに相手に適切に移し替えられる言葉だと理解して頂きたい。移し替えるという表現がすでに暗示しているように、両者それぞれの細部どうしのあいだに対応する関係があり、ただその並び方が前者では順時的、後者では同時的になっているのが違いなのである。

いうまでもなく、音声と文字の細部どうしの対応関係は、適切とは呼べても、機械的に厳密な不動の繋《つな》がりではない。それどころか少し注意すれば、両者が対応していない事例をいくらでも探し出すことができる。英語の"this"の「th」と"thin"の「th」とでは、文字は同じでも発音は違う。日本語の「する」の「す」と「です」の「す」を比べると、やはり文字は同じだが、前者は「す」と発音されるのに後者は「s」に近い音に変質する。逆にかつての東北方言では、「し」と「す」が書き分けられているにもかかわらず、発音は類似する傾向が強かった。

しかし真に重要なのは、音声と文字のあいだに対応の潜在的な可能性があることであって、この可能性はいかに例外的な事例が多くても疑うことはできない。すなわち音声にも文字にもそれぞれの細部が明確に分節され、おのおのが一つの単位を刻むという特性があることである。この単位が音声においては順時的に結ばれ、文字においては同時的に組み合わされて両者を形成しているのである。管見するところでは、現代の言語学にはさまざまな単位の区切り方があって、互いに一部重なり合いながら併存しているようである。

まず最小の単位と見なされるのは、「音素(phoneme)」と名づけられる一群であって、一つの言語(たとえば一つの国語)のなかで他の音と弁別されうる最小の単位、またはそれ自体は意味を持たないものの意味の相違をもたらす最小の単位が、この名前で呼ばれている。もちろん音素はすでに文字と対応しており、一文字が一音素を表すローマ字のような音素文字(phonogram)で表記される。

これにたいしてやや長い単位が、淵源《えんげん》をラテン語にまで遡《さかのぼ》る「モーラ(mora)」だろう。一モーラは子音と短母音が結合した一短母音からなり、長母音は二モーラと数えられる。「シャ」や「ヒョ」のような拗音《ようおん》も一モーラとされ、撥音《はつおん》や促音や長音（ー）もそれぞれ一モーラとされるから、これはほぼ日本語の一音節、かな一文字に相応するといえるだろう。もっとも小さな相違はあって、「トウ」や「ホン」は日本語では一音節だがモーラでは二つ分にあたる。いずれにせよ、モーラは一段と言語の分節を明確に刻み、音声と文字の対応を浮上させる単位となっている。

音節といえば通常、辞書では「シラブル（syllable）」と訳されるようだが、この概念は西洋語の世界で長く親しまれ、言語学者の注目も惹《ひ》いてきただけに定義は単純ではないようである。辞書のレベルでは前後に切れ目のある音素、あるいはその連続がシラブルと呼ばれ、一般には一母音の前、または前後に子音がついた単位にその名が与えられている。学者が問題にするのは、そのさいの音声の切れ目という概念であって、いったいどんな音声学的な構造が切れ目をつくるかについて、イエスペルセンやソシュール、日本の服部四郎のような碩学《せきがく》が議論を交わしてきた。

いまその論点の機微に立ち入る余裕はないが、注目に値するのは、すべての言語学者が言語の音声に構造的な切れ目があることに同意し、音声に単位化の傾向がある事実を認めていることだろう。私としては安んじてこれまでの考察を延長して、これと書き言葉との関係、音声と文字との対応関係をもう少し精密に捉えておきたいと思う。というのは興味深いことに、この両者のあいだの関係にもまさに対立しながら、逆に相互に包摂し合う微妙な繋がりが見られるからである。

あたかも言語の偶然性と強制力のあいだにあったような関係、矛盾と含み合いの関係が音声と文字のあいだにも認められるように思われる。

ここで思いだしておきたいのは文字の側の性質であって、これがたんに空間的に展開する同時態ではなく、それ自体の内部にすでに順時性を含んでいるということだろう。文字を読むにせよ書くにせよ、それに時間がかかることは常識でもわかるが、この時間は不可逆的な流動の力性を内に秘めている。アルファベットの筆記体が顕著な例だが、書き言葉には単語ごとに筆の動きの一連の順序が見てとれる。日本語のかな文字は一字ずつ切れているものの、一字の内部には決まった筆の流れがあるし、連綿体になると文字を超えた繋がりが描きだされる。漢字の場合は、字画と筆順に法則に近い約束事があって、筆が一気にどこまで走り、どこで曲がってどこで跳ねるかまで細かく定められている。

そのうえどんな言語でも、文章の全体には流動する一定の方向があって、縦書き、横書き、さらに横書きなら左から右へ、または右から左へという違いが厳然とあることはいうまでもない。急ぎ足に論を進めたが、音声の順時態のなかに切れ目という同時態があり、文字という同時態のなかに運筆なる順時態があって、両者が二重に含み合って結合しているのが言語だということは、ほぼ説明できたと思う。これと先の偶然性と強制力の関係を併せ眺めると、冒頭に述べた言語の不思議な矛盾という感慨があらためて念頭に浮かぶわけだが、この矛盾が何を意味するかについてはもう一度、後の章で考えてみたい。

もう一つの言語要素

そのまえに触れておきたいのは、言語を言語たらしめるもう一つの要素、主として音声の陰に隠れてそれに力を貸している重要な要素についてである。言語の場合、この現象は常識のレベルでも認知されていて、その働きにはそれぞれ名前も与えられている。いずれも日本語でないのが残念だが、命名されているのはほぼ、アーティキュレーション（articulation）、アクセント（accent）、イントネーション（intonation）の三つだろう。

アーティキュレーションは調音と訳され、口腔《こうこう》内部で音声が発せられる仕組みのことだが、転じて明瞭に発声すること、歯切れよく話すことを意味するのが普通である。俳優やアナウンサーにとっては欠かせない資格とされ、一般人でもこれがよい人はひそかに尊重される。それぞれの音節を区切って粒立てる技量だから、大声を出すこととはまったく違う能力だが、語ろうとする意欲、前向きの姿勢の点では強い力を必要とする。もっともこの能力は通常、身体の習慣として自然に身につくものとされ、一部の職業人を除けばこれを磨くために練習する人はあまりいない。

これにたいしてアクセントとイントネーションは、いずれも個人ではなく共同体の習慣であって、個人にたいしては強制的に作用する約束事である。アクセントは単語ごとに働き、音節に強弱、高低の相違を与えることによってその意味を限定する。アクセントの支配する共同体の大きさには大小があり、中国語の「普通話」という共通語がほぼ全国に通じるのに比べて、日本語は方言ごとに違いを生じ、東京と関西とではアクセントが逆になる単語も少なくない。一方、音調と訳されるイントネーションはおもに文章単位で働き、抑揚の変化によって意味に変化と強調を加える。断定、疑問、問い返しなど、イントネーションが文法的な機能を果たすことも多いので、言語の構成要素として不可欠である。

これらの言語要素は音声に伴って現れる現象であるが、しばしば同一の音声に異なった意味を与え、文法的な意味を付け加える機能も備えているから、やはり独立した言語要素と考えるのが適当だろう。さらに加えてこの三つの言語要素は、その現象の特色によってはからずも言語の本質、音声と文字を含む言語全体の本質を考えさせるきっかけを与えてくれる。というのは、この三つはいずれも見るからにあからさまに身体現象であって、その機能は身体の習慣として、目にも見えず耳にも聞こえない能力として保たれるからである。アーティキュレーションは個人の身体のなかに、アクセントとイントネーションは共同体の身体のなかに、いずれも自動的に発動する潜在力となって保持されている。

しかしそれがそう感じられるのは、この三つには文字のように確立した表記法がなく、たとえ僅かにあっても周知されておらず、順時態と同時態のあいだの部分の対応関係が不明確であるからにすぎない。一方、音声と文字のあいだにはこの関係が明確であり、あえていえば明確でありすぎるために、ときに言語は身体の外に独立しているように見えるのかもしれない。ここであらためて強調しておきたいのは、言語は音声と文字の全体を含めて身体の習慣にほかならず、まちがっても特別の文化的構築物、俗信のいう知性や理性や意識の産物ではないということである。

平たくいえば、あらゆる人間がみずからの言語をすべて宙で覚え、全身のすみずみまで言葉でいっぱいにして生きているのである。おそらく日本の通常人なら平均して一千語あまり、知識人ならその十倍の単語は身につけているだろう。それを連ねる文法や文例、成句や慣用語、加えてアーティキュレーション、アクセント、イントネーションを含めれば、記憶の量は気が遠くなるほど膨大というほかはない。重ねて念を押すが、そのさい記憶しているのは脳ばかりでなく、音声の場合は肺や喉頭部や口腔内の全器官、文字の場合は手指はもとより、姿勢を支える全身の筋肉が関わっている。健康で目覚めているかぎり、身体は夜昼となくこの状態を保持し、いわば内面の奥深く言葉を語り続けていると見ることができる。しかもその身体は共同体を形成して個人を超えているのだから、言語は二十四時間、三百六十五日、たえず世界中で発せられ続けていることになる。

身体化された言語、言語化された身体

いいかえれば言語は身体化され、身体は言語化されてこの世界にあるわけだが、そのことの意味はさらに重大であることを見逃してはならない。言語は身体化されるとともに、表面的には言語活動ではない、しかしより広く深い身体領域に浸透するのである。その領域が俗にいう内面であって、目覚めているかぎり奥深く語り続けていると先に述べた、あの身体の深奥《しんおう》部分である。

そのさい注意すべきは、身体化された言語はつねに完全に目覚めた状態にあるわけではなく、身体は目覚めているものの、言葉は半ばしか目覚めていないという状態があるという事実だろう。

そしてこの言語の半覚醒状態こそ、じつは人がものを思い、感じ、考えるという精神状態の別名にほかならず、内面活動と通称される現象のすべてを占めていると考えられる。その証拠に、人が思う、感じる、考えるときの実感を内省すれば、それらの内面状態がそのときどきに勝手気ままに、あたかも自然現象のように芽生えているのに気づくはずである。これを内面「活動」と呼ぶのは誤解を招きやすい呼称であって、人は誰しも感じようとして感じるわけではなく、考えようと企てて考えるわけではない、気がついたときにはすでに感じに襲われ、考えがおのずから浮かんでいるのが実情ではないだろうか。

この内面現象の無自覚さは、現実の言語活動のなかの無自覚の状態、半ば眠った状態の発語活動に酷似していることに注目したい。人はしばしば思わず口を開き、口をついて出る言葉を吐き出すことがあるはずだが、内面の語る思いや感じや考えは、そうした日常の言葉の半覚醒状態にそっくりなのである。示唆的なのはため息であって、人はある思いに打たれてため息をつくとき、内面でつくか言葉に出してつくか、その瞬間にも区別していないはずである。さらに別の面から見ても、内面現象が言語活動の一種であり、その萌芽《ほうが》状態にほかならないことが推察できる。

現に人はある内面状態に見まわれたとき、その正確な性質を確認し判別するために、しばしば言葉を口に出して比較することを試みないだろうか。半覚醒状態の言語を完全に目覚めた現実の言語と比較して、本当に何を感じ、考えたかをみずから確かめようとしないだろうか。「綺麗《きれい》」なのか「美しい」のか、「淋《さび》しい」のか「侘《わび》しい」のか、「寒い」のか「肌寒い」のか、実感の違いが微妙であればあるほど、人はその音声を口にのぼせ、文字に書いて見て確認しようとする。

けだしそういうことが可能なのは、じつはもとの実感そのもののなかに言語の構造性、すなわち順時態と同時態、音声と文字、文法と文体に転じるすべての構造が秘められているからとしか考えられない。言語の身体化、身体の言語化とは本来そういうことなのであって、人は文字通り身体内に言葉が湧き、それが何かを語るのを聞きつけて、何かを感じた、何かを考えたというのである。常識の通念とは反対に、人は内面の状態を言葉に翻訳するのではなく、言葉によって内面をかたちづくられているというべきだろう。

自然から直接に生まれた文明

言語を文明のなかの現象として考える場合、最大の困難はその歴史の連続性の長さにあるといえるだろう。言語がいつ誕生したかは誰にも答えられないが、人類の脳や発声器官の考古学から見て、それは先史時代も最初期、ホモ・サピエンスの登場まえであったと考えてもおかしくはない。空想するだけの話だが、人間が二足歩行を身につけ、夜は眠って昼に行動する習慣を確立したころ、たぶん言語は芽生えていたのではなかろうか。

問題はそれ以後の長い時間のなかで、技術としての言語の歴史に断絶があったり、明確な変質の瞬間があったとは証明できないことである。現有の知見から推察するかぎり、言語は道具として誕生から今日まで本質的に同一であり、変化しながら進化の連続を保ってきたといわざるをえないようである。

他の技術と比較すれば明らかだが、言語は身体そのものだけを手段として、身体の延長となる外的な自然物にいっさい頼らずに進化してきた。同じ道具でもたとえばナイフの場合、身体は石器や銅器や鉄器など、みずからの延長というべき自然物を用い、結果としてそれらの道具から強い反作用を受けざるをえなかった。石のナイフと鉄のナイフでは使い方が決定的に異なり、それを操る身体は腕にも脳にも影響を受け、みずからのすべてを変えるように強制されたはずである。これにひきかえ、言語を操る身体は外からのいっさいの強制を免れ、言語それ自体の内部要因にのみ従って進化を遂げることができた。

現在、世界に二千五百から三千はあるといわれる現代語が、すべて同一の起源に発しているかどうかはわからない。しかしたとえ起源は違っても、道具としての言語の置かれた技術的条件は同じだから、どの言語もそれぞれの祖型と連続性を維持していることは間違いあるまい。歴史は長いから、個別の単語は語源から逸脱していたり、新しく造語されたりもしているだろうが、そうした突然変異を含めて、すべての現代語は祖型の遺伝子の制約のもとにあると考えられる。

その言語の祖型は歴史以前に成立し、他のいっさいの文明に先駆けて誕生したのだとすれば、言語はいわば自然そのものの直接の産物だったと見ることができる。これは文明の歴史のかたちとして、いささか例外的なものだというほかはない。似たものを探そうとすれば、先に触れた人類の二足歩行と昼行性の習慣くらいのものだろうか。通常は、どの文明も先行する他の文明の産物として誕生し、伝統は限りなく遡《さかのぼ》れるから、文明の歴史以前を探るのは徒労だと考えられている。

言語のこの例外性を端的に今に表しているのが、ほかならぬあの単語の誕生の偶然性だといえるだろう。単語があって、それが何かを意味していることには、いささかの合理的な理由もないことは第一節で紹介した。後世に造られた派生語には歴史的な由来による必然性があるが、その派生語の原型になった単語を遡れば、必ずいつか理由なく生まれた偶然的な単語に辿《たど》り着く。「うし」という単語がいつ生まれたかはわからないが、それがわからないかぎり、この言葉はその意味とともに偶然に発生したと考えるほかはない。

いつという時点もわからず、歴史的な由来もわからないということは、とりもなおさずその発生が歴史以前の段階、すなわち自然現象の段階に起こったことを示している。自然現象は今日では科学によって解釈され、その解釈の範囲内では必然的に起こるものと考えられるが、それでもなお個別的な現象の一回的な発生は偶然的というほかはない。万物は引力によって必然的に落ちるが、ある午後、風が吹いて私の卓上のメモが床に散り落ちるのは、まったくの偶然に違いあるまい。

ところで文明の発端が直接に自然のなかにあって、しかも先述した通り、その発端が強い強制力をもって文明の形成に寄与したという事実は、哲学的に見ても面白い事件だったと思われる。かねて私は拙著『リズムの哲学ノート』のなかで、リズムの観点から眺めると自然と文明は二つの別世界ではなく、連続した同質の現象であることを強調しておいた。はからずも本稿で言語の問題をつぶさに考察する過程で、『ノート』の所論の絶好の実例に巡り会ったような気がしている。いずれ本稿の終章ではこの論点を再び扱い、「リズムと言語」の結語としたいと考えている。

言語なしの情報発信

さて、言語といえばコミュニケーション、情報の授受伝達という働きが思い浮かぶが、これが安易な思い込みであることはいうまでもない。身体が他の身体に向かって情報を発信すること、他の身体がそれを受信する行為は、いずれをとっても言語なしに、言語以前に十分にできる営みだからである。

わかりやすいのは言語を知らない乳幼児の場合であって、彼らの泣き声、むずかりの表現、怯《おび》えや笑いの表情はときに言葉よりも雄弁に情報を伝達する。そのさい情報を受信するのはおもに母親、あるいはそれに代わる近親者に限られており、身体の触れあう距離にいる相手でなければならない。情報の授受は一対一の人間関係のなかでおこなわれ、第三者に配慮しない閉鎖的な交流を通じて営まれる。乳幼児の泣き声が空腹によるものか、肉体の不快によるものかといった違いでさえ、この閉鎖的な状況のもとではかなり的確に伝達される。ただし一回ごとの伝達がどれだけ的確におこなわれたか、いいかえれば成人による受信がどれだけ正確であったか、その責任を取るのはこの場合、当然ながらもっぱら受信者たる成人の側に限定される。

発信者の乳幼児がそれぞれの伝達の的確さを知るのは、彼らが発信した情報が受信された結果、相手によって自分の要求が満たされたときだろう。情報伝達としては複雑なやりとりだが、これがたんなる物理的な応酬、感覚刺激と物質的満足の交換ではなく、あくまで初歩的な情報操作であることに注意しておきたい。子供の笑い声は特定の肉体的刺激への反応ではなく、「機嫌の良さ」というべき全身状態に喚起された情報であり、逆にむずかりはこれまた不機嫌と呼ぶべき身体状態が発信する情報であるのは明白だろう。

食欲でさえコミュニケーションの過程では変質され、たんなる栄養の要求と充足の応酬とはいささか違った相貌を見せる。乳児が哺乳瓶による受乳に慣れてくると、やがて満腹時にもゴム製の乳頭を欲しがるようになり、はては乳液を出さない「おしゃぶり」を愛玩するようになる。この過程で起こっていることは、受乳の内で「飲む」ことから「しゃぶる」ことへの重点の移行であり、乳児にとって受乳が情報の発信行為へ変わるにつれて、同一の多義的な情報のなかで中心となる意味がずれたということにほかなるまい。

言葉なしの情報伝達は、もちろん乳幼児だけに限られた営みではない。成人の挙措動作は複雑であって、社交慣例によって定められた挨拶の類い、握手や挙手やお辞儀などはすでに言語の一種だと見なすことができる。他方、大人も受信者と一対一の関係、第三者を容れない閉鎖的な空間に生きることもあるわけだから、そういうとき、とかく幼児に似た言語以前の発信が起こりがちになる。表現のかたちは微笑から暴力行為まで広範にわたるが、成人の場合、情報の解釈の責任は発信者と受信者の双方にあるとされるから、ここでは誤解の問題が絶えることがない。

ちなみに面白いのは、幼児の件《くだ》りで触れた「機嫌」「不機嫌」という身体状態だが、これがとくに日本の近代において、成人の情報発信に顕著な影を落としていることである。旧著『不機嫌の時代』で一巻を挙げて書いたことだが、明治末から大正にかけて日本の文壇には夏目漱石や志賀直哉など、不機嫌な作家が一群をなして登場した。作中に不機嫌な主人公を活写するだけではなく、近親者の証言によれば本人自身が不機嫌に陥り、みずからと家族を苦しめた作家たちである。

旧著を極度に圧縮していえば、不機嫌な人物は好んで近親者と閉鎖的な空間に暮らし、無言のまま一対一の相手に爆風のような鬱屈《うっくつ》を浴びせる。両者の距離は和風家屋の襖《ふすま》が一枚、無視されえない隔たりを保って、暗澹《あんたん》たる気分を確実に送り続けるのである。前提になるのはこれを受信する家族が逃げ出さないこと、一対一の人間関係を壊さないことである。一九〇〇年代初頭の日本にはまだ心温かい家族が多くあって、ある意味で甘えた家長を支えていたといえるかもしれない。

不機嫌という気分がどんな社会状況から生まれ、実存としての人間にとってどんな意味があるかについては、旧著で詳述したから繰り返さない。ただ同じ本のなかで私が自分の身辺にもいた不機嫌な人物を眺め、典型的な応答を描写した件りがあるので紹介しておこう。不機嫌な人はたえず強烈な気分を発信し続けながら、発信しているという事実にも責任を取ろうとしない。不快な表情を露骨に浮かべている人に「どうしたの」と訊《き》くと、まず返ってくるのは「べつに」という一言である。心配して同じ問いを執拗《しつよう》に繰り返すと、最後には軽侮の眼差しとともに、「わかってるだろう」と問い返される結末になる。

言語の意味と情報発信

情報発信が言語なしにも可能である一方、言語の意味のほうも情報発信とは無関係に成立している。というより言語の意味はいっさいの発信を拒否した存在であって、いかなる情報も伝えることなく、ただ意味として成立するだけでどこかにあり続ける存在だというほかはない。ついでながら、意味が「何ごとかを意味する」というのはじつは誤解を招きやすい表現であって、意味が発生した事情を考えれば、それが何ごとかを「意味する」とか「指し示す」とか、積極的な働きかけをするとは考えられないのは明白だろう。

発生の事情とはもちろん意味が単語とともに偶然に生まれ、理由も由来もなく単語に付着しているという事実である。日本語の「うし」が「うし」を意味しているのは、もっぱら日本人が何千年もそう教えられてきたからにすぎず、現象としてのそのあり方は自然物と変わらないと先に述べた。自然物が他の自然物を指し示したり、意味したりするのは象徴作用と呼ばれるが、ある存在が他の存在の象徴となるには相応の理由も由来も必要とされる。そういう必然性をまったく欠いた単語の意味を原点として、言語はそのうえに壮大な文明を築く魔術だというほかはない。

第一節で「うし」は「短角四足の家畜」を意味していると書いたが、あれはあくまでも叙述上の便宜のためにすぎず、子細に考えれば「うし」はまだそんなものを意味してはいない。あのような発信をするためにはまず最小限、「うしは何かである」という文を作り、その命題を少しずつ拡張する作業をすまさなければならない。魔術の第一歩は構文であって、単語を文のなかに置き、主語と述語の関係のなかに据えることで万事が始まる。

逆にいえば、文の外に置かれた単語は自由であって、どんなに無意味なことも意味することができる。「丸い四角」は無意味というより意味の破壊だが、単語はそれでもこれを意味することはできる。この単語をむりに文中に置いた場合、文は一つの命題としての機能を中止し、いわゆる判断中止（epoche）の状態に陥らざるをえない。「丸い四角」が実在するのかしないのか、実在するという判断が正しいのか正しくないのか、どんな述語を補うこともできないまま、いわば文は凍りついてしまう。単語は文に包まれて漸《ようや》く判断に寄与することができるが、ときに包もうとする文の判断力を奪うこともあるらしい。

ここまで見てくると、すべての単語とその意味はそれ自体、一つの中止された判断であり、発信されかけてそのまま抑止された情報だといいたくなる。現にしばしば、単語は文ではなく特定の環境のもとに置かれ、その環境のもたらす人間関係のなかで発信力を持つことがある。「馬鹿」

とか「可愛い」とか、罵倒語や褒め言葉の感嘆詞、「危ない」とか「やめろ」とか、咄嗟《とっさ》の瞬間の警報や命令など、状況によって単語一つが雄弁な情報になることが多い。いずれも一対一の人間関係、閉鎖的な交流空間の内部に限られるが、単語がそのまま判断としての中止を命じられることがあるのはまちがいない。もっとも、これが真に厳密な言語活動といえるのかどうか、言語の一部は使いながらも、じつはあの言語なしの情報伝達の変形ではないのかと考えると、議論はさらに深まりそうである。

言語活動と「鼎話」構造

そこでもし、あの単語だけの異形の文がそれでも言葉だとしたら、そういえるための決定的な条件は何なのだろうか。「馬鹿」にせよ「危ない」にせよ、単語を含んだ情報発信は、たんなる仕草や眼差しによる発信とどこが違っているだろうか。ただちに気がつくのは、仕草や眼差しが純粋に一対一の人間関係に閉じ込められ、いわば秘密裏に伝達されるのにたいして、「馬鹿」も「危ない」も語られた文の一部であるかぎり、原理的に第三者による立ち聞きを許すという点である。

繰り返すが、こうした異形の文が現実に情報発信として成立して、受信者の身体を動かすのは一対一の関係においてだけである。だがもしそこに第三者が立ち会っていれば、その人物は少なくとも文の意味を理解し、その場に何が起こっているかを理解する可能性を持つだろう。対話する二人と第三者が共通の言語を分け持ち、三人が同一の言語共同体に属しているとはそういうことなのである。言語はそれが現に交わされたときに成立するのではなく、いつでも立ち聞きが可能な、原理的な関係が生まれたときに成立する。

言語の共同体は独特のものであって、理由もなく偶然に発生しながら、絶対的な強制力をもって人を縛る。それは人が任意に作るさまざまな共同体の背後にあって、その任意の関係に属さないままに所属する人間、あえて第三者としか呼びようのない人間を生むことになる。この第三者がいつどこにでも、姿を見せないままに遍在したときに言語は生まれるのであって、対話が交わされたときではなく、奇を衒《てら》うようだが「鼎話《ていわ》」の可能性が成立したときに生まれるといってもよい。

「鼎話」という用語を使うのは初めてではなく、かつて私は演劇の構造を説明するにあたってこれを選んだ。周知の通り、演劇の舞台では役に扮《ふん》した俳優が互いに対話を交わすものの、その言葉を聞かせる最終の相手はあくまで観客席の第三者である。また観客の側も自分が対話の当事者ではなく、立ち聞きする第三者にすぎないことを明示するために、けっして舞台上の対話に言葉で割り込んだりしない。面白いせりふに笑いを洩《も》らしたり、名場面に拍手を送ったりすることはしても、あくまでも自分が無名の第三者、群衆の一人であるかのように身を慎むのである。

これを逆に舞台の俳優のほうから見ると、観客席には俳優にとって「公人」ばかりが座を連ね、「私人」は一人もいないということになる。かりに俳優の親友がたまたま片隅にいたとしても、そこが劇場であるかぎり、彼がその人に向けて特別の演技をすることはない。彼もまた身を慎んで友人に距離を取り、「公人」に対するにふさわしい公平さをもって、同じ演技を繰り広げるはずである。

この劇場の人間関係は普遍的であって、一般に「鼎話」の関係、第三者の存在が「公」の社会を形成する。「公」に厳密な学問的定義はないが、誰しも一つの気分もしくは雰囲気として、「公的」な空間がどんなものか知っているのではないだろうか。それは共同体のあり方としては一定の規模を持ち、しかも適切な秩序を保つものを指すはずである。他方、公的な共同体の構成員の態度としては、第三者にふさわしい自己規制、それを裏返したよそよそしさが思い浮かぶにちがいない。つまり公的空間は人間相互に距離のある世界であり、構成員がその距離を埋めるべく独特の緊張を強いられる世界だといえる。

廻《まわ》り道をしたが言いたいのは、この公的世界こそ言語の成り立つ場所であって、また言語の生態それ自体が「公的化」するべく努めているように見えるということである。どんな言語も一定の規模と秩序を持つ空間の内部に通用し、外国語や方言にたいして自己の通用力を守ろうと闘っている。そこにはおのずから自己の正統性を主張する傾向が生まれ、訛《なま》りや誤字誤綴《ごてい》など、「間違った言葉」を拒否しようとする動きが起こる。それぞれの言語ごとに「正しさ」の観念が芽生え、文法、慣用語法（idiom）、正書法（orthography）といった規則が根をおろす。言語の世界は日常の世俗社会より以上に、法と規制が支配する公的世界になるほかはないのである。

決定的に重要なことは、この公的な性格が言語の文に恒常的な安定を与え、情報の信頼性という一点で、言語以前の一対一の情報よりも優位に置くということである。言語と言語以前の情報との違いは、前者には反復することが可能であり、むしろ同じ発信の繰り返しを常態とするのにたいして、後者は貴重な一回ごとの情報の一回性にこだわり、その純潔性を守る点にあるといえそうである。

二種類の情報の違いは断じてそれぞれの正確さ、情報内容の一義性にあるのではない。正確というなら、真に親しみ合う特定の二人が交わす発信は、ただの微笑であっても目配せであっても、千言万語にまさる精密な情報を伝えるだろう。問題はその情報が同じ二人のあいだで二度と繰り返せるか、あるいはもう一回重ねて確認できるかどうかという一点にある。それはほとんど不可能であるうえ、受信者の側がそういう反復や確認を求めたとたん、二人の関係そのものが揺らぐかもしれない。またいかに親しみ合った家族にせよ親友にせよ、私人どうしの関係は永遠不変ではありえず、いつかは必ず動揺し変質するという宿命にある。任意に作られた共同体はどんなものであれ、公的世界に対峙《たいじ》したとき恒常性という点で引けを取るのである。

これにたいしてつねに第三者を予定する言語の文は、その第三者が不特定の存在であって、いつでもどこにでも遍在することによって変動から守られている。言語の文の宛先はかりに特定の個人であっても、究極的にはこの無名の第三者に宛てられているのであり、そのことによって内容の恒常性を保証されている。先にも書いた通り、すべての言語の文は無数の公的な規則、文法や慣用語法や正書法によって縛られている。換言すれば、これはすべての文が過去に一度、第三者に宛てて語られたり書かれたことがあるということにほかならない。どんなに斬新な表現に見えても、言語の文は過去の文例の反復にすぎず、みずからもまた将来の文の文例として、いつか反復される宿命にあるのである。

言語による情報伝達とは何か

言語世界はこうして徹頭徹尾「公的」であるが、言語を操る現実の人間はあくまで「私人」であり、私的に結ばれた共同体に属さざるをえない。その私的な共同体の内容はじつにさまざまであって、家族や近隣社会はもちろん、友人、知人が作る任意の仲間、信仰の宗派、主張や思想が繋ぐ党派団体、さらにゲゼルシャフト（gesellschaft）と一括されるすべての半公的組織、および法資格においては公的な地方自治体さえ含まれる。

こうした共同体のなかで、あるいは異種の共同体のあいだで、「私人」は相互に情報を交換しようとするのであるが、言語を使って情報を発信するとはどういうことなのであろうか。すでに見た通り、情報の交換は必ずしも言語を必要とはしないものだったし、言語的な発信は第三者の傍受を許す面倒な迂路《うろ》を取るべきものであった。あえてその言語に頼って一対一の関係にある相手に情報を伝え、思いや知識を共通にするとは、どういう構造を内に含んだ行為なのであろうか。念を押すまでもないことだが、言語による発信と受信の関係は生理的な刺激と反応の関係とはまったく違う。生理的な刺激の場合は刺激する側には能動性があるが、反応する側には受動性しかなく、その受動性に敏感さの差違があるだけである。これにたいして言語の場合、受信する側に言葉が「わかる」という能動性がなければ、発信ははなから意味をなさない。言葉がわかるとは個人の能力でもあり意欲でもあって、わかり方の程度は個人の努力によって日々に消長を繰り返す。

言葉がわかるという能力は、他のさまざまな技術的能力を身につけることに似て、会得の程度に明確な閾値《いきち》を設けることは難しい。たとえば自転車に乗れること、水上を泳げることにはかなり明確な基準があって、能力のありなしを明言できるように見えるが、それでも子細に見るとどちらの能力も無限に近い幅を持っている。ましてピアノのような楽器演奏の技術になると、初心者と熟練者の能力の違いは、かりに審美的な観点を除いて評価しても、比較にならない絶大さを見せる。同様に言葉がわかるという能力も千差万別、個人差が極度に大きいことは、外国語がわかると自称する人を見れば明らかだろう。

判定が難しいのは自国語がわかるという場合であって、とりわけ言葉を操る本人の自己判定は困難をきわめる。たいていの生活者は言語について無自覚であって、情報の交換という目的に支障がなければ、その手段としての言語のあり方に心を煩わせる人はいない。しかし交換される情報の内容を精査すれば、じつはそれが手段たる言語の質によって大きく変わるのは疑いない。言語について無自覚な人は、情報の内容にも鈍感であり、その精粗に無関心な人というべきであろう。

言語に依存する情報の質は、その構成要素というべき文の精緻さによって決まる。文はあらゆる情報要素のなかでも分節性がきわめて高く、無数の文が互いに異なる喚起能力を発揮しながら林立することができる。二つの文の意味は限りなく近く並立しながら、なお相互の精密な違いを示すことができる。努力すれば一人の個人が弁別しうる文は数十万にも上るはずであって、これを組み合わせた言語的情報は精密多彩を極めるにちがいない。言語的情報の質とはその内部に秘められた文の構成のことであって、選ばれた的確な文が多過ぎず少な過ぎず、しかるべき順序で組み合わされていることにほかならない。

したがって言語に頼る情報発信者、私人としての発信者が何をしているかといえば、それはこの文の選定と組み合わせをすることのほかにはありえない。ちなみに話し言葉であれ書き言葉であれ、すべての文はすでに過去に創作されているのであり、無名の第三者に向けて発信され終わっているのであった。それは潜在的な文例として個人の記憶のなかにあり、厳密にいえば先に述べた言語の半覚醒状態において揺曳《ようえい》しているのである。

思い出して頂きたいが、およそ人が感じるとか思うとか考えるということ、俗にいう内面活動と呼ばれるものはすべて言語の半覚醒状態のことであった。人は言語を身体化してものを思い、身体を言語化して言葉を語るのであって、二つは同一の活動の両態にほかならないのであった。そしてこの半ば目覚めた言語も言語である限り公的に遍在し、任意に分立する共同体の壁を越えて、すべての私人をあらかじめ結んでいると考えられる。

しかしそのうえで注意すべきは、この同一の言語を共有する二人の私人は、けっして同一の文をたんに手渡ししているのではないということである。発信者が何らかの文を作成し、その文がそのまままっすぐに受信者の理解に届くわけではない。ややこしいが二人の私人は同一の言語を共有しながら、必ずしも同一の文を共有する能力を持つとは限らないからである。比喩によって説明するほかはないが、これは二人の音楽家が同一の記譜法に従っているにもかかわらず、同一の楽譜を別様に理解するのと似ているといえる。

音楽そのものはあらかじめ音楽家の身体に浸透していて、楽譜の誘発を受けていつでも鳴り出そうと待ち構えている。ピアニストの全身は自分が演奏できる楽譜の到来を待ち受けているのであって、どんな楽譜を手渡されても、すでに身体化されている音楽以上のものを読み取ることはできない。同様に言語を操る二人の私人は、それぞれの身体の内部に浸透している文例以上の文を、たとえ相手から伝えられても受け取ることはできない。

言い方を変えれば、言語の受信者は発信者にとって通信の相手のように見えるが、じつは単純にそうではなく、半ばは鼎話構造の第三者の位置にいると見るべきなのである。受信者もまずは言語の公的世界の住民なのであって、その資格において文の内容を理解したうえで、それに次いで当の文が自分に宛てられたメッセージであることを認知する。この順序はもちろん原理的なものだが、現実の日常生活のなかでも、ときとして何が伝えられたかをまず聞き取ったのちに、一瞬置いて、それが自分相手の訴えだったことに気付くという経験はあるのではないだろうか。

文明以前の情報の伝達

言語以前の情報授受から言語による伝達への推移を見てきたわけだが、ここで視野を広げて文明以前のコミュニケーション、自然界の情報伝達に目を向けると何が見えるだろうか。本稿第五節の終わりでも触れたように、リズムの観点から捉えたとき、自然と文明はおよそ対立する異質者ではなく、境界を挟みながら連続する一つの世界であるはずだからである。『リズムの哲学ノート』のなかで、私はリズム発現の典型的な事例として、純粋な物理現象である水滴の生成と落下の経緯を観察した。この場合、水の流動は水という媒体に乗ると分節され、球体となって空間を占めたうえで、流動力の一層の増加を受けると膨張の限度に達し、やがて全体としては序破急のリズムを刻んで落下するのだった。

もちろんこの水滴のリズムは物理現象にほかならず、そのかぎりでは情報とは何の関係もない。一回の序破急が過ぎ去れば、次には別の序破急が後を追うだけであって、二つのあいだに授受伝達の関係は見いだされない。だがただ一点、忘れてはならないのは、これらの序破急がそれぞれ随時、随所に発現し、現象として二度と同じかたちと速さを示すことはないということである。水滴の落下一般は物理法則通りに繰り返すが、どの水滴がいつどこでいかに落ちるかは偶然の手に委ねられている。そしてこの随時、随所の一回性こそ、情報を情報たらしめるもっとも根源的な条件ではないだろうか。私的であれ公的であれ、情報の生命はそれが未知の発見であり、画期的なニュースであることにあったはずである。『ノート』では、この水滴の序破急が人間の身体に共振を起こし、身体そのものの序破急に変質したときに一片の情報に転化すると、考えていたように覚えている。

『ノート』の考察はここまでで終わっていたが、同じ自然界でも生命を孕む動物の世界になると、リズムははるかに複雑で、情報の構造として明確な現象を表すことになる。この段階については、私は本連載「哲学漫想」の第三回「リズムの哲学再考」の後半において、心理学者J・J・ギブソンの教示に従うかたちで考察を試みた。自著を『生態学的視覚論』と題したギブソンは、生態学の名のもとに従来の自然科学的な認識の世界を一変させた。そこで対立するのは物質と認識主体ではなく、「環境」と「動物」だと考えられるが、両者はいずれも純粋な客体でも主体でもない存在として定義されるのである。

動物にとって環境は認識の静的な対象であるどころか、それ自体が動物に働きかける積極的な要因であり、誘惑し慫慂《しょうよう》する半ば主体的な存在だとされる。たとえば水はすべての動物に飲むように誘いかけ、ある種の動物には泳ぐように、ある種の動物には歩いて渡るように働きかける。こういう誘惑や慫慂を英語では「アフォードする」というが、ギブソンはそこから「アフォーダンス」なる独自の名詞を造語して、これを生態学的な環境の一般的な原理の地位に置いたのであった。

一方、アフォードされる動物もまた純粋に受動的な対象ではなく、水を飲むか飲まないか、泳ぐか歩いて渡るかをみずから決定する歴然たる主体である。しかもすべての動物は他の動物にとっての環境でもあるから、あらゆる生き物はアフォードする存在として、またアフォードされる存在として、二重の意味で主体的だと考えられる。当然ながらこの動物のなかには人間も含まれるはずであって、それを否定する特段の論理もない以上、認識における人間の特権的な地位は完膚なきまでに破られたといわざるをえないだろう。

そこで伝達される情報のかたちとしても、ギブソンは独自のあり方を考えてこれを「不変項」と呼ぶ。「不変項」とは数学の言葉だが、真意は単純に「変化しないもの（invariants）」、変転極まりない環境のなかにあって変わらない現象という意味にほかならない。「不変項」も現象の一種であるから、もちろん「類的個物」のかたちをとって与えられるが、これは「類別性」と「個別性」との関係においていささか一般の「類的個物」と違っているようである。示唆的なのはギブソンが猫を「不変項」とする場合。通常のように「食肉目ネコ科」などと類別化せず、「かわいいもの」、人に「かわいがる行為をアフォードする存在」と分類するからである。

猫を特徴づけるのに彼は鋭い牙や爪を問題にせず、「独特（peculiar）の柔らかい毛に覆われた動き回る存在」としての側面に目をつける。たしかに人間の環境として猫はそういう存在なのだが、ギブソンにとって知覚の対象としての「不変項」はそれ以外にはないのであろう。

（原稿未完・稿了）

〔『アステイオン』第93号、二〇二〇年十一月〕

II

浩宮の始球式――「人間・象徴」天皇制の不条理

三笠宮逝去の報に接して、とっさに思い浮かべたのは、四十年近く前、ときの皇太孫（浩宮）、現在の皇太子からうかがった逸話だった。

皇太孫が英国留学をなさるというので、外国での学生生活について経験談をするようにと、私的な昼食にお招きを頂いたのだった。皇太子ご夫妻をまじえた和やかな雑談のなかで、ふと私はかねての疑問を皇太孫にうかがってみた。「殿下は歴史学に興味をお持ちだそうですが、それは三笠宮殿下の影響でしょうか」。「違います」。お答えは驚くほど、卒然として断固たるものであった。

狼狽《ろうばい》している私に向かって、殿下は暫《しばら》くの間を置いて、今度は淡々たる口調でほぼ次のようなご自身の回顧談を話して下さった。

「昔、東宮御所の庭を散歩していますと、一隅の塀の傍に古い石碑が倒れていました。碑文を読むと一行『これより東北道』と書いてありました。それを見て私は、この閉じられた庭の外側には広い世界があって、人びとが往来して暮らしているのだなと実感して、交通の歴史に興味を持ったのです」

聞いたとたん私はこのお言葉の含蓄の深さに打たれ、同時に練り上げられた周到さにも感服したのだったが、いま三笠宮の訃報に触れながら思いだすと、お言葉に秘められた痛切さがひとしお鋭く胸を刺すのである。戦後の三笠宮の場合、殿下はオリエント史の研究に精励され、成果を著書として発表されたうえ、大学の教壇にもお立ちになった。ついでながら趣味として舞踏を嗜まれ、庶民の女性の手をとって社交ダンスやフォークダンスに興じられたと伝えられている。

だがあのとき留学を前にした皇太孫にとって、将来、そのような自由が許される希望はまったくなかった。天皇が著書を著す事例は昭和時代に一度だけあったが、それは交通史とは違って、社会にも政治にも無関係な魚類学の本だった。天皇、皇太子、皇太孫が教壇に立たれた前例もなく、前例がないことは天皇家にとって可能性が絶無に近いことを意味する。聡明な皇太孫は、自分を閉塞しているものが御所の庭だけではなく、生まれついたご身分そのものであることを予感しつつ、お言葉を漏らされたのではなかったか。

天皇の後継者はどんなに学問や修練に励まれても、その成果それ自体を世に問うて、世間の評価を求めることは許されない。天皇は唯一無二の存在であるから、他との相対的評価を受けることは避けるべきであり、したがって一藝一業に秀でることも望ましくない。孔子のいう「君子は器《き》ならず」が文字通り天子の資格であって、皇太孫はそれも十分に身につけておられたという別の逸話もある。

これまでに一度だけ、皇太孫は全国高校野球選手権大会の始球式に臨まれたことがある。関係者の記憶によれば、殿下は人目につかぬ練習場では、唸《うな》るような速球をたてつづけに披露された。唖然としている関係者を尻目に、本番のマウンドに立たれた殿下は大観衆を前に、きわめて正確だが、弓なりのワンバウンドのボールを投げて見せられたという。

天皇、皇太子、皇太孫の直系三代に関するかぎり、皇族の学業、修練は直接の成果が世に出ることはなく、すべて形のないご自身の品格、威厳となって現れるほかはない。それは重要であり、国民の崇敬を集めるに不可欠の要件だが、問題はそうした品格を身につけた人間が、社会的存在として何をなさるかということだろう。昭和天皇の「人間宣言」以来、天皇が人間であることは大前提だが、その人間が社会的に何らかの職業的役割を持ち、何かに生きがいを感じて生きられるように、現在の制度は設計されているだろうか。

じつはこのことが現代の天皇制の最大の問題であり、日本国憲法がなおざりにしてきた深刻な瑕瑾《かきん》の一つなのである。憲法によれば天皇は日本国の象徴であり、国民統合の象徴であるという。だが普通の日本語で象徴といえば、「鳩は平和の象徴だ」とか「富士は日本の象徴だ」といったぐあいに、抽象的な理念を表す事物をさしている。生きた人間が何かの象徴であるというようなことは、常識では考えられない異常な事態なのである。

もちろん一つの特別の家系が国民の一致した崇敬を受け、権力は振るわず権威としてのみ君臨するという例は、世界の民主国家に数多く存在する。こうした国民の総意によって推戴された点を重視し、国民統合の象徴と呼ぶなら、それは一応は意味のある用語法だといえる。この観点から見たとき、日本の皇室の象徴としての歴史は古く、藤原時代から一貫して天皇家は統治に関与せず、もっぱら君臨してきたことはこれまでにも書いた。

だがこの場合、象徴として崇敬されているのは一つの家系であって個人ではない。品格と威厳を持って存在しつづける家族であって、具体的な仕事をなしとげる個人ではない。ついでながら近代の天皇ご一家は理想的なご家族であり、とくに昭和天皇が一夫一婦制を導入されてから、天皇家は日本国民の家庭生活の模範として仰ぎ見られるようになった。わが皇室では皇太子が離婚したり再婚したり、離婚された元皇太子妃が恋の浮き名を流すことなどは、夢想だにできないのである。

天皇が「ご公務」を創造された

だが家庭は営まれて「ある」存在だが、個人は仕事を持ってそれを「する」存在でなければならない。ところが天皇がするべき仕事は何かといえば、憲法にも皇室典範にも、国事行為以外の厳密な規定は何一つ書かれていない。国事行為には、国会の召集と衆議院の解散、内閣総理大臣の任命と閣僚、および派遣される大使の認証、外国大使の接受などがあげられるが、現実にはその範囲はあいまいである。植樹祭や国民体育大会への巡幸、八月十五日の全国戦没者追悼式へのご臨席は、すでに事実上の国事行為になっている。

そのほかにいわゆる「ご公務」と呼ばれるお仕事もおびただしく、とくに今上陛下の時代になって、その数は増える一方である。近年、あい次ぐ自然災害のたびに陛下は遠近を問わず足を運ばれ、避難所を訪れては床に膝を突き、被災者と同じ高さに目を合わせて慰問のお言葉を述べられている。また近年になって、南方の旧戦場にまで行幸され、戦死した兵士と現地の殉難者の霊に追悼の意を表されたことは、多くの国民を驚かせた。

注意すべきは、これらご公務のすべてが戦後の昭和、今上両陛下のご思慮の賜《たまもの》であり、お二人の慎重で繊細なご判断によって創造されたものだという事実である。法の規定も内閣の助言もありえないなかで、天皇は象徴としての言葉遣いや身ごなしとともに、そのお仕事の内容も自発的に創造されるほかはなかった。そうしなければ象徴天皇はたんに「ある」だけの存在になり、「鳩」や「富士山」と同等の存在に堕するからである。

そう考えると昨今、天皇の「生前ご退位」のご希望をめぐって、ご公務の軽減を主張する声があるのはいかがなものかと思われる。天皇がみずから「人間象徴」という困難な存在の営みを熟慮され、身をもって実現された成果を外から評価し、軽減や縮小を口にするのは不敬の発言ではないだろうか。

しかも天皇が創造されたご公務の内容は、明らかにことごとくこの国の長い伝統に則《のっと》っている。歴代の天皇は例外なく、国民生活の安寧と豊穣を祈ること、および国民の標準的な感情に共感し、それを代弁するような短歌を作ることを義務とされてきた。国民の標準的な感情を洞察するのは鋭い感受性を必要とするが、たとえば明治天皇が日露開戦にあたって詠まれた御製《ぎょせい》はその代表例だろう。

「よもの海みなはらからと思ふ世になど波風のたちさわぐらむ」。ここで明治帝はみずから宣戦を布告するお立場にありながら、同時に国民感情の底流にひそむ不安を察知して、御製ではその無言の思いを汲みあげる思いやりを示された。ちなみにこの御製は太平洋戦争開戦の御前会議の席で、昭和天皇が引用朗唱されたことでも知られている。

思えば天災被害者の慰問も戦争殉難者の追悼も、国民が広く共有しながら、容易に披露し難い感情にもとづいている。天皇はその感情を国民に代わって表明し、祈りを国民の見える場所に公開され、国民感情によりそい、それを代弁する歌を詠んできた心を行幸という行動のかたちで表現された。天皇家の良識は、ご公務の伝統をきわめて微妙に、しかし一段と高い次元に置かれたのである。

その天皇がご高齢のため疲れたと洩らされたのなら、国民はこれまでのご苦労に感謝しつつ、ご意向を受け入れて今後のお報いの仕方を考えるほかあるまい。またしても憲法の不備から、天皇には基本的人権があるのかないのか定かではないが、自然権としてそれがあると信じる私としては、苦役を強いられ、人権を侵害される天皇を見るのは忍びない。その後のことは時間をかけて議論をするのがよいが、そのさいも現在の天皇制の姿を創造してきたのは、長く天皇家そのものの良識であったことは、忘れてはならないだろう。

〔『文藝春秋ＳＰＥＣＩＡＬ』二〇一七年季刊冬号、特集「「おことば」私はこう聞いた」〕

「論壇」の危機と回復への曙光

はじめて見た「論壇」

もう半世紀も以前のことになる。私を職業的な散文筆者として世に出してくださったのは、京都大学教授の田中美知太郎先生であった。ギリシャ古典哲学の泰斗だった先生は、傍ら一般読者に向けた評論も書かれていて、出版界にも広い影響力をお持ちであった。当時、劇作を始めていた私の上演作品に目をとめてくださり、なぜかこの若輩には評論も書けそうだと思われたのか、ある日、中央公論編集部に私を推薦してくださったらしい。

薦めに応えて書いたのが「劇的な精神について」という小論だったが、もちろん新米の論壇登場は簡単なものではなかった。中央公論編集部はこれを難解として受け付けてくれなかったので、田中先生は心温かくも、同じ文章を河出書房に推輓《すいばん》してくださった。この出版社には大編集者として知られた坂本一亀氏がおられ、この人の即断によって、拙文は雑誌『文藝』に掲載されたのであった。

その後、戯曲『世阿彌』が岸田國士《くにお》戯曲賞を受けるという僥倖《ぎょうこう》もあって、私の文章は中央公論にも認められるようになり、さらに新聞の学藝部からも執筆の依頼が来始めた。中央公論社では稀代《きたい》の編集者だった嶋中鵬二社長の愛顧を受け、その右腕として活躍された粕谷一希氏と友情を結ぶことになった。暫《しばら》くのあいだ、私は河出と中央公論の両社、そこに陣を敷く三人の編集者の支えのもとで、論壇の荒波に棹《さお》さしてゆくことになった。

私事を冗長に書き連ねたが、これはこの履歴がかなり一般的なものであり、日本の論壇の構造を垣間見させると思うからである。近代を通じて、この国の言論界は大学のアカデミズムと、雑誌、新聞のジャーナリズムの二本柱のうえに成り立っていた。第二次大戦以前には、たとえば大学側には吉野作造が君臨し、雑誌編集者としては滝田樗陰《ちょいん》が屹立《きつりつ》していた。とくに初期に「大新《おお》聞」と呼ばれた高級紙の役割は顕著で、池辺三山、馬場恒吾《つねご》といった巨匠が筆者と編集者を兼ね、日本の国論を牽引《けんいん》するほどの力を発揮していた。

大正中期に学制改革が実施され、大学、旧制高校の学生が急増するにつれて、論壇の規模は飛躍的に拡大したが、それでもその基本的な構造は変わらなかった。昭和初年には新聞の発行部数が爆発的に伸び、「大《おお》新聞」と「小《こ》新聞」は融合するかたちになったが、日本では大衆紙が高級紙の性格を強く帯び、論壇を支える機能はむしろ増加した。読売新聞を率いた馬場恒吾の議会制擁護の舌鋒は、迫りくる戦争の前夜まで衰えなかった。

出版界では文藝春秋や岩波文庫が創刊されて、言論の大衆化が計られたが、ここでも結果は逆に大衆の啓発が進むことになった。大学の寄与もますます拡大し、たとえば和辻哲郎や三木清など、大衆的な人気の高い哲学者の活躍がめだったりした。やがて軍国主義の擡頭《たいとう》に伴い、言論界もそれに迎合する傾きを見せたものの、とくに雑誌編集者には弾圧に死を賭して闘う気概が最後まで残った。

第二次大戦が敗戦に終わると、論壇と言論機関の復活は異様といえるほど早かった。食料もろくにない廃墟のなかで、雑誌の復刊と新刊があい次ぎ、新聞の増ページがめざましく、新しい本が出ると書店の店頭に行列ができるという現象も見られた。依然として筆者の供給源は大学にあって、とりわけ外国書への関心の高まりとともに、翻訳者の需要が大学の担う役割を倍増した。ただし子細に見ると、論壇の学者の質には微妙な変化が生じ、その専攻分野が戦前よりも拡大したといえるかもしれない。戦前に大きな比重を占めた哲学が後退し、代わりに心理学、社会学、文化人類学、経済学、政治学などが勃興した。

戦後の論壇を語る場合、忘れられないのはやはりイデオロギーの対立であって、欧州と同じく日本でも、左右両翼の相克は長く越えがたい壁を造っていた。もちろんこの対立の弊害は自明であって、わけても政治問題をめぐる論争を空疎な固定観念の反復に堕落させていた。しかし今となって振り返ると、あの対立は日本の論壇にとって必ずしも全面的な破綻ではなく、むしろ好い刺激をもたらしていたと思われないでもない。少なくとも読者の次元では、あれが大衆の論争一般への関心を増幅し、公的な言論空間の社会的な権威を高めていたと考えられるからである。

しかもイデオロギーの対立は論者の個性、いいかえれば個人の独特の魅力を抹消するものではなく、思想は違っても建設的な論争を可能にする一筋の道は残すものであった。たとえば私は丸山眞男氏とイデオロギーを異にし、政治論はもとより、その近代的自我に関する主張にも疑問を覚えたものだが、それでも氏にたいする内心の敬意は失ったことがなかった。それについて説明するには、およそ公的な言論とは何か、たんなる主義主張と言論空間での言説の違いは何か、もっといえば論壇で発言する言論「職人」の心得は何かについて、重ねて考える必要があるだろう。

言論「職人」の資格とその責任

先回りして結論をいえば、論壇とは言論の「職人」がかたちづくる漠然とした共同体である。もちろん共同体といっても、そこには明確な外郭もなく、組織系統図もなく、全体を指導する長老もいない。「職人」を同定する固定的な資格もないから、この共同体はいわば参加者の出入り自由な開かれた集団である。だがそれでもこれを共同体と呼びたいのは、知識界にはかねてこれに似た共同体があって、有効に機能しているからである。

それはほかならぬ自然科学が作る科学共同体であって、それが存在することはトマス・クーンの提唱以来、広く認められている。じつは科学の専門分化は一般言論界よりもはなはだしく、科学者どうしが異分野の成果を理解するのは難しいにもかかわらず、彼らは同じ一つの時代思潮というべきパラダイムのもとに服している。科学の方法はときに革命的に変化することはあるが、一定の期間は「通常科学」と呼ばれる安定状態を保ち、すべての科学者の思考法を支配して、彼らを目に見えぬ共同体に包みこんでいるのである。

この科学に比べれば、主として社会科学、人文学を母胎とする言論界の場合、それが共同体を作ると想像するのははるかに容易だろう。そもそも一般読者の理解を目的とするジャーナリズムは、どんな専門知識人にもその蛸壺を出ることを要求し、正確ながらも平易な言葉で語ることを暗黙に強制している。ここでは言論「職人」は自然科学者とは逆に、いかに自分の独自性を発揮し、パラダイムを破壊しかねないほどの革新性を見せるかが問われるのである。しかも論壇の時代思潮は科学のパラダイム以上に流動的で、見渡し難いうえに変わりやすい。知的共同体を作りながら同時にそれを脅かすという意味で、言論「職人」に期待される矛盾した要求は、自然科学者のそれよりさらに深刻だともいえる。

職業的言論人に迫る矛盾した課題は、さしあたり二つのかたちで現れてくる。第一はすでに触れた専門性と超専門性の葛藤であり、第二は論者の立場の一貫性と不断の変化に耐える柔軟さとの相克である。いずれも言論人の倫理的な責任に関わる問題であって、問題の本質は意外なほど深く広いのである。

たとえば第一の場合、問題は難しい専門知識を易しく語るというような技術に帰せられるものではない。何よりも必要なのは、論者が自分の専門知識そのものの意義を知っていることであり、その専門が全知識界のなかのどこに位置づけられるかを自覚していることである。みずからの知識が他のどんな知識に支えられ、他のどんな知識を基礎づけているかについて、知り尽くさないまでも少なくとも気配りしていることが欠かせない。自分の学問分野がただ伝統的に存在してきたからというだけで、ひたすらその内部に安住している夜郎自大を専門バカと呼ぶのである。

しかしその反面まさに矛盾する話だが、論壇の論者は一度はあえて専門バカに徹し、一分野の「規律（ディシプリン）」で徹底的に自分を磨いた経験を持たなければならない。かつて大学で「学際性」という言葉が流行したが、あくまでも「学」があっての学際であることを忘れてはなるまい。そのさい肝心なのはたんに人が知識を得たことではなく、その習得の過程で自己を規律によって磨いたという経験であり、文字通り職人の誰もが必ず耐える通過儀礼である。この経験を経ることで論壇人は謙虚さを学び、思いつきの言い放しを慎むようになり、自己顕示のためだけの論争を控えることにもつながるだろう。

第二の問題となる論者の一貫性と柔軟性の矛盾もまた、論壇の論者の肩には永遠に逃れえない重荷となってのしかかる。発言は場当たりの思いつきであってはならず、立場の一貫性を守ることは彼の道義的な責任だとさえいえる。だが他方、その立場は宗教的な信念のように絶対不変のものではなく、つねに反論の可能性を予想して、それとの対話に向けてみずからを開いていなければならない。むしろ発言者みずからが内に反論を仮定し、それとの架空の論争を演じたうえで、立場の内容を決定しなければならないだろう。

どの面から見ても、論壇の発言者は矛盾を矛盾のままに引き受け、あたかも綱渡りのように両極の均衡を保って進まなければならない。言論「職人」はたんなる修辞法や説得術の職人であるまえに、まずこの綱渡りの藝を身につけることを求められるのである。

論壇の成立と評価の制度

言論「職人」と素人との区別はすでに明らかだろうが、これにつけて猪木武徳氏の近著『自由の条件』が、清澤洌《きよし》の言葉を引いて面白い示唆をつけ加えている。猪木氏の主たる関心も言論の自由にあって、その条件として論者の立場の開かれた柔軟性、そこに成り立つソクラテス的な対話の必要を説くことにある。その文脈のなかで参照された清澤は意表をつくかたちで、人間の思考を「第一思念」と「第二思念」に分けるのである。

人間は日常を生きるにあたって、普通、感情や惰性的な思考習慣にしたがって反射的にものを考えている。だが清澤はこれを第一思念と呼んで、公的な言論空間にふさわしくないものとして退ける。彼が推奨するのは第二思念、すなわち教育と訓練によって育まれた理性の産物、反省的、批判的な思考である。清澤はこの主張を一九三〇年代、拡張を急ぐ当時の新聞への警告として投じたらしいが、もちろんこれはいつの時代にも、大衆社会に生きる論壇にあてはまる批判だろう。

注目すべきはここで清澤もまた、論壇の論者を教育と訓練によって育てられる存在、いいかえれば言論の職人として認識していることだろう。たんなる主義主張は自然に生じることもあるが、その大半は怠惰な第一思念にすぎず、それを公的な言論に変えるには技倆《ぎりょう》が必要であって、およそ技倆の習得には血の滲《にじ》む不断の修練が不可欠なのである。

いうまでもなく論壇には修練のための学校もなく、大抵は目に見える師弟関係もない。修練する職人を励ましたり、ときに厳しく指導する常設の機関はどこにもない。そこで辛うじて機能するのが相互批評であり、公的な評価制度であって、健全な論壇の生存にはこの二つが欠かせない。なかでも最大の評価機関が新聞や雑誌の編集部であるのはもちろんだが、書評や論壇賞など、筆者みずからが参加する評価制度も有効だろう。念を押すが、これはあくまでも論壇が職人の共同体であって、主義主張の戦場ではないという前提に立って、はじめて成り立つ議論である。

重ねて私事を述べることが許されるなら、四十年近く前、私はサントリー文化財団の設立を手伝ったさい、若い筆者を励ます学藝賞の新設を提案した。当時、論壇の賞としては吉野作造賞がめだつだけであって、新人を顕彰する制度は皆無だったからである。思い出すのは、そのころも世間の一部には評論に賞を出すことを疑問視する声があって、その理由がやはり、主義主張を評価するのは冒瀆《ぼうとく》だというものだったことが、示唆深い。

結局、「サントリー学藝賞」は学藝の広い分野を対象に贈呈されることになり、以来「政治・経済」「思想・歴史」「藝術・文学」「社会・風俗」の四部門にわたって、受賞者総数三百二十一名を数えるにいたった。受賞者の多くが今日の論壇の中核を占めていることも慶事だが、私にとっては、現在の選考委員の全員が過去の受賞者になっていることが喜ばしい。

電子情報の氾濫と論壇の危機

すでに常識になっている事実だが、二十世紀の末ごろから、活字文化全般の斜陽が目を惹《ひ》き、とりわけ総合雑誌を基盤とする論壇の衰微が顕在化するようになった。日本では他国と比較して大新聞は経済的に健全だが、雑誌や単行本、なかでも総合と銘うった雑誌の苦境はいちじるしい。そしてその最大の原因が電子情報機器の普及、それに伴う「ツイッター」や「ライン」など、大衆的な情報発信の氾濫にあることも今や常識だろう。

若者を中心として、現代人の関心は電子機器に乗りやすい短く断片的な情報、受け手にとって使い捨てしやすい軽い情報に集中し始めている。長いページ数を費やして論理の構築を重視する論文、長時間の読解と記憶のなかで真価を発揮する評論は、その結果として大衆に忌避されていると見なされている。活字そのものはスマートフォンの画面でも使われているから、要するに嫌われているのは活字の長い行列、連続する長文の思考表現、いいかえれば論壇を作る言葉なのである。

短い断片的な情報は、まずは通常、日常の便宜のために用いられる。朝夕の挨拶、予定の約束、単純な事件の伝達といった営みには便利であって、感情表現も型にはまった形式的なものなら、これで十分だといえよう。現にスマートフォンの文章には泣き顔や笑い顔などの絵文字が多用されるが、それで表現できる程度のお座なりな感情なら、むしろ電子機器にふさわしいとさえ考えられる。

だが注意したいのは、この種の情報発信は容易に一方的な自己主張につながりやすく、じっさいに宣伝や煽動《せんどう》、他者への攻撃の手段として使われるということである。短い断片的な情報は大量に反復発信することが可能であり、しかも発信者の顔が見えないということから、他者にたいして問答無用の攻撃を繰り広げる絶好の手段となる。かつてその名も「アノニマス（匿名者）」という集団が仮想空間に現れ、大挙して政治的な敵に容赦ない攻撃をかけたことは、記憶に新しい。

日常的な便宜であれ、一方的な自己主張であれ、電子機器が伝えやすい情報には一つの顕著な共通性がある。そのいずれもがまぎれもなく、清澤洌のいう「第一思念」にもとづいていることがそれである。日ごとの挨拶や予定の約束は惰性的な慣習のなかで交わされるし、攻撃的な自己主張は反射的な感情から発せられることが多い。一九三〇年代に大衆社会の到来を予感して恐れられた事態は、二十一世紀に及んで電子機器の普及とともに飛躍的に増幅されたと見ることができる。

「アノニマス」の登場は象徴的であって、電子情報は言論界にいわば直接民主主義の猖獗《しょうけつ》をもたらしやすい。すべての人が情報発信の自由を持つのはよいことだが、誰もがその発信の責任をとろうとせず、数の力が直接に真実の権利を主張することになるのは、恐ろしい。公的な言論界には職業的な編集者という代弁者がいて、多様な声を自己の責任において評価選別し、修正と総合を通じて一つの世論というべきものを形成することが、絶対に必要である。この編集者は顔の見える存在として並び立ち、互いに競争状態にあるのが民主社会の言論界というものだろう。

さらに電子情報の危険は情報の受け手としての民衆にも及び、人びとの世界にたいする関心を分断して、個人を狭い閉じられた世界に封じ込める恐れが大きい。新聞であれ雑誌であれ紙媒体の場合なら、読者は自分の関心の対象である記事を読もうとしても、必ずその隣にあるまったく異種類の記事に目を惹かれてしまう。そしてしばしば読者はその予想外の記事によって啓発され、自分の知らない世界があることを発見するのである。

だが電子情報の場合、受け手は自分の知りたい情報に限ってアクセスを試み、それ以外の情報に知るべき価値があるかもしれないとさえ考えない。かねて学界で危惧されてきた専門分化の弊害が、今や常識の世界にも忍び寄ってきていると見ることができる。ことの因果関係は定かではないが、人びとの興味の専門分化はすでに活字文化の世界にも侵入し始めているようである。とくに雑誌の分野では、登山や美食やペットや旅行などの専門雑誌の種類が増え、女性雑誌は読者の年代ごとに分立して、全部を集めればすでに総合雑誌の総発行部数を超えているだろう。

救済への試み――「ビブリオバトル」

活字文化の危機はこう見ると、たんに新聞社や出版社の衰微ではなく、人間の知性そのものの崩壊の兆候でもあるのだが、脅威が電子情報にあるとすれば起死回生の妙手が容易に見つかるとは思えない。いずれにせよ地を這《は》うような地道な努力しか考えられないのだが、そのなかで一筋、希望の光を示唆するのが「ビブリオバトル」という実験である。

横文字だけを聞くと厳めしいが、意を汲んで訳せばこれは「書評合戦」と呼ぶべきゲームである。数人の読書家が愛読する本を持ち寄り、読後感と批評を五分間ずつで発表する。その後、参加者全員で発表について二、三分の討論を交わしたうえ、もっとも面白い本の紹介者を投票によって決めるというものである。勝負を争うのは紹介された本の内容とともに、紹介した読書家の発表能力の二つが重なるという仕組みになっている。

ゲームの創始者であり、『ビブリオバトル――本を知り人を知る書評ゲーム』(文春新書)の著者である谷口忠大氏によれば、これは最初、京都大学大学院情報学研究科の有志によって始められた。やがて参加者は研究室の外に広がり、類似の集会が大阪大学などでも試みられ、まもなく紀伊國屋書店の大阪の支店が一般公衆を招いて開催することになった。そこからの展開は劇的であって、踵《きびす》を接して読売新聞の活字文化推進会議が関心を抱き、これが主催者となって、各地の高校、大学の代表による全国大会が開かれ、今日では五百人の聴衆を集める一大行事にまで発展した。

紹介される本の水準は高く、大学の部の優勝本にはE・ゴッフマンの『スティグマの社会学』、九鬼周造の『「いき」の構造』などが選ばれている。活字文化推進会議の一員として、私も発表の様子を映像で見たが、本と自分について明晰《めいせき》な口調で語る若者の姿に感動した。読書はたんに知識を増やすだけでなく、語彙や文章のリズムの学習を通じて、読者の自己表現の能力をも高めるのである。

このゲームが今後どこまで発展するかはわからないが、少なくともこれが一つの社会実験として、言論界の将来について証明したことがらは明白である。第一に現代にも、かりに少数とはいえ本を読める優秀な学生が残っていること、第二に彼らの本の紹介に喜んで耳を傾け、投票によって賛意を表明する若者がかなりの数にのぼることである。彼らはまだ自分の狭い関心範囲に閉塞されきってはおらず、しかるべき場を与えられれば、未知の知に自分を開く用意は残している。

そして何よりも、彼らは本を介して「人を知る」ことへの欲求を心に秘め、「アノニマス」ではない人間関係、顔の見える隣人との社交関係を結びたいと願っている。まことに「本を知る」ことは、関心を共有する「人を知ること」なのである。彼らにあと一歩の援助の手をさしのべ、潜在的な欲求を現実のものにするのは、教育と、そしてあらためて言論界そのものの課題だろう。

〔『中央公論』二〇一七年一月号、一三〇周年記念特集「論壇の岐路」〕

史談は猥談より面白い——『日本史のしくみ』新装版あとがき

本書の副題は「変革と情報の史観」だが、これは今は亡き二人の編者の経歴と深く関わっている。いわば両研究者の学風をそのまま副題としたのが、この本なのである。

まず林屋辰三郎さんだが、単行本のあとがきで梅棹忠夫さんが書いているとおり、この人は現代の日本史学界で通史の書けるおそらく唯一の学者であった。多くの学問分野で見られることだが、史学界でも専門分化が極端に進み、研究者の視野が狭く深くなるなかで、この人は近世藝能史を自家薬籠中の物としながら、政治、経済、文化にわたって、太古から現代まで目配りのきく学者であった。

通史が書けるということは、すなわち異時代の違いが見えるということであり、いいかえれば変革が見えるということにほかならない。「変革の史観」とはここでは変革を好む史観ではなく、変革の見える史観という意味であって、いかにも博学で温厚なこの歴史家にふさわしい副題だといえるだろう。

他方、梅棹忠夫その人は民族学者であり、比較文明論の専門家であるから、多様な文明集団のあいだで情報がいかに流れ、それが世界をどのように変えてきたかを観察し続けてきた人である。どの文明も互いに力によって争いあうが、文明の実質を武力が形成した例はどこにもない。まず独自の生活習慣や価値観など情報が人をまとめ、個性的な集団が生まれたうえでそれを力が守るのである。

その情報はしばしば武力の強制を伴うことなく、独力で異なる文明集団の壁を越えて流動し、他文明の反応を誘ってそれを変えたり育てたりする。古代エジプトがメソポタミアの影響下に成立したという説もあるし、象形文字は「刺激伝播《でんぱ》」によって世界各地に広まったという論も有力である。おそらく梅棹さんはこうした論議の飛び交う分野に生きて、歴史といえば情報、変革といえば情報と反応する感性を養っていたにちがいない。

しかも見落とせないのは、この二人が日本の軍国主義と皇国史観の洗礼を浴び、それが破滅して大変革が起こるのを成人の眼で目撃していたことだろう。変革は武力行使が終わった後に、民主主義、人権思想という情報の洪水として流れ込んできたのであった。

それにたいして三人めの私はといえば、林屋さんより二十歳、梅棹さんより十五歳年少で、当然、自国「日本」との最初の出会い方が違っていたのが特色だろうか。敗戦を小学六年生で、それも植民地満洲で迎えた私にとって、祖国日本とはまず何かしら釈明しなければならない存在であった。それは無力のうえに世界の非難を浴び、生き延びるにはみずからが何者であるかを説明するほかない存在であった。この祖国観はやがて成人して再び外国に出て、イエール大学の日本学の教鞭を執ったことでますます強められた。

一九六〇年代半ばのアメリカでは、もはや刺立った反日感情は薄らいでいたが、依然として支配的なのは日本は特殊な国、不可解な（inscrutable）国という先入観であった。R・ベネディクトの『菊と刀』に根を持つこの思い込みは、敵意の度合いを弱めながらも欧米人の日本観に広く深く染み入っていた。それに立ち向かった私は、自然に日本文化の普遍性を証明し、世界的な価値観との共通性を強調する姿勢を養っていたようである。

この本でも触れた一例をあげれば、私は伝統の「侘茶」を説明するさいにも、それが日本に独特の文化である事実は認めながらも、その根本思想は普遍的なロマン主義、古典憧憬の一変種であることに注意を促している。「月も雲間のなきはいや」という村田珠光の言葉も、それが暗雲への愛着ではなく、むしろ満月にたいするアイロニカルな賛美の一句であることを、私は強調するのである。

この三人の責任のもとで、私たちは月に一度の勉強会を開き、有能な研究者を招いて討論を重ねたうえで、しかし座談会をそのまま発表するのではなく、成果を持ち帰った出席者が個人の原稿を書くという方法をとった。これは筆者が同じ主題を二度考えた後に書くという結果になって、内容を濃くする点で思いがけない効果をあげたような気がする。

勉強会の面白さと難しさについては、梅棹さんのあとがきに詳しいが、これに加えて私は会が回数を重ねるにつれて興味深い感想を持った。人間は相互に深い信頼を抱いて集まった場合、おのずから自分の立場めいたものを創作し、あたかもサービスのようにそれを演技し始めるということである。

敏感な読者は気づかれるだろうが、この本のなかの梅棹さんはかなり徹底した日本文化特殊論の立場をとり、それにたいして私は微妙な制御を加えるという立場をとっている。とりわけ本の掉尾《ちょうび》を飾る「総括討議」における梅棹さんは、文化の「半透性（semipermeability）」という新概念を立てて、日本文化を世界史に無類の現象であるかのように弁じている。なぜかこの座談会を私は欠席しているのだが、どう見てもこれは日頃の梅棹さんの持論ではない。『文明の生態史観』の著者には似つかない発言であって、これは一座の雰囲気を盛り上げるために、ややサービスが過剰になった場面らしいと見るべきだろう。

こんなことに触れるのは、日本文化特殊論はこの場の梅棹さんだけでなく、戦後日本の少なからぬ知識人を魅了してきたように見えるからである。もっとも有名なのは中根千枝さんの「タテ社会論」だろうが、日本人の家族観の特殊性を重視し、それが他にない文明を生んだとする『文明としてのイエ社会』という大著もある。ここで一々を批判する余裕はないが、控えめに私の個人的な好みまでにいえば、どんな文化特殊性論も普遍性論を内に含んだものであってほしいのである。

半世紀たって今『日本史のしくみ』を読み返して見ると、その点でこの本全体の立場はかなりバランスがとれているように思える。何より大きいのは、林屋さんの主導のもとにこれが日本の通史として、さまざまな変革を含む歴史の多様性を描いていることだろう。全体を通覧したとき日本文化はじつに複雑多彩であって、ときには互いに矛盾する要素さえ孕《はら》んでいることが一目瞭然にわかる。

一例をあげれば日本人の個人意識だが、一方でこれの目覚めは恐ろしく早く、とくに表現する自我の意識は『万葉集』にまで遡《さかのぼ》ることができる。防人のような無名の庶民も自己の個人的な感情を表現したし、天皇や貴族は自作に署名を残したうえ、すでに職業歌人と呼ぶべき個性もこの段階に現れている。

また十世紀の墾田開発の時代、新田を開墾した個人はその土地に自分の名をつけることが許され、個人は土地所有の権利義務の主体として名を持つことになった。戦国時代の武士になると、戦場ではまず華麗な「名乗り」をおこない、敵味方の双方に自己のアイデンティティを明らかにし、勝利も死も一つの表現として顕示するのが習わしとなった。

ところが他方、古来の日本人には名前は呪術的な力と結びついて理解され、容易に他人に明かすことのできない秘密だったという。名乗ることは相手への服従を意味し、現に武士が主君に臣従を誓う場合、一族郎党の「名簿」を提出するのが決まりであった。

これだけを見ても、通史に現れる日本の多層性はあまりにも顕著であって、単純な特殊論に要約するのは危険であるのが明らかだろう。そう思って振り返ると、従来の特殊論は日本の特定の時代、多くは江戸時代の特性に注目して、それだけで日本文化を代表させる傾向が強かったのではないだろうか。

それにしてもあの楽しみは何だったのだろうかと、半世紀後にしてしみじみと思う。勉強会とはいえ学界の行事ではないから、参加者は和やかな気分で歴史を語ることに半ば戯れていた。司馬遼太郎さんが書いているが、「東山山麓のあえかな闇に包まれながら、灯火をかこんで」交わす会話は仕事を忘れさせる快楽であった。一同が微醺《びくん》を帯び論議が沸騰するにつれて、誰もが過去の世界に遊んでその気分に淫するという風情さえあった。

歴史は繰り返すものではなく、人が歴史から実利的に学ぶものはほとんどない。過去の人間像を語ることは、下世話な噂話《うわさばなし》をするほどの実益もないのだが、その楽しみは噂話の数倍に登る。これは何ごとなのだろうと長く考えて、今ふと思い当たることがある。

人間は個体生命としてしか生きるすべがなく、無意識のうちにそれを超えて種族生命を体感したいと願っているのではなかろうか。個体生命は未来に向かっては現実に延ばすことができ、そのためには性行為をおこなって子や孫を残せばよい。人が猥談を好んで性行為を語るのは、いわば自己を未来へと拡張することの予祝だといえるかもしれない。

これにたいして個体生命は過去に向かっては鎖《とざ》されていて、現実的に拡張することは絶対にできない。欲深い人類はしかしその現実に諦めがつかず、せめて想像し感情移入をして、擬似的に過去の種族生命を生きたいと願っているのではないだろうか。しかも語るということになれば、過去には伝承もあり史料もあり、想像力を働かすには未来よりよほど豊かである。猥談の単純さに比べて史談には飽きるということがなく、それがますます種族維持への拡張を駆り立てるのである。

誰もが知るように、漢代の歴史家に司馬遷という人があった。彼は不幸にも一時の罪を蒙り、宮刑に処せられて生殖能力を失ってしまった。許されて奮起した司馬遷は一段と歴史に執念をたぎらせ、ついにあの『史記』の大著を書きあげたという。種族維持の未来を暴力で奪われた天才が、痛苦を梃子《てこ》に自己を過去へと拡張することに成功したという、これは凄惨にして偉大な逸話だろう。

最後に一筆、この企画の発案者であり、進行の中心でもあった共同通信社の石山幸基記者について書いておきたい。石山さんは手練れの文化部記者であって、梅棹さんも賞賛する才能の持ち主だったが、この連載の終結の直後、突然、苛烈な内戦中のカンボジアに支局長として身を挺した。誰もが驚く選択ではあったが、石山さんには記者として心中期するものがあったのだろう。その後は消息が途絶えたまま、後年の調査によって不運な殉職が伝えられた。無念としかいいようがないが、すべては時代の気運のなかで起こった悲劇であった。石山さんのジャーナリスト魂に敬服し、深くご冥福をお祈りする。

二〇一九年　新春

〔林屋辰三郎・梅棹忠夫・山崎正和編『日本史のしくみ――変革と情報の史観』
二〇一九年二月、中公文庫〕

歴史を語る快楽はまだまだ続く

まず最大の問題は、「百年後に日本はまだあるか」ということだろうが、かなり高い確率で存続している、というのが私の答えである。自然災害も戦争も、この国を危うくはしても滅ぼすことはたぶんないだろう。

災害復興と日本人

喫緊の危機は巨大地震であって、いわゆる「南海トラフ」を中心とする地殻変動が太平洋沿岸を襲うことである。これは今後二、三十年のあいだに起こることが確実とされていて、京浜、中京、関西の大都市圏が全滅し、数万の人命と国富の半ば近くが失われると予想されている。だが日本列島が沈没することはないし、日本海沿岸部はたぶんほぼ健在のまま残るだろう。第二次大戦の敗戦後と比べれば、これは希望の持てる状況であって、国民性が今のまま大きく変わっていなければ、日本人は復興に取り組んでそれに成功するはずである。

なにしろ大戦では三百万人を超える壮丁《そうてい》を失い、全国の中小を含む都市が残らず焼け野が原になっていたのである。それが「もはや戦後ではない」と言われるまでに復旧するのに十年、「高度経済成長」に突入するのに二十年を要しなかった。ひょっとすると日本人は災害に遭うと逆に奮起して、事態をそれ以前よりも改善してしまうという、不思議な文明を持った国民なのかもしれない。

第三次世界大戦は起こりにくい

可能性のある世界大戦は米中間、米ロ間のそれであるが、いずれも冷戦時代の米ソ戦争よりも起こりにくくなっていると考える。理由は逆説的だが、米中、米ロともに、両陣営がそれぞれ軍備の拡張に狂奔しているからである。冷戦時代と同様、軍備拡張は相互確証破壊（ＭＡＤ）の可能性を高めるうえ、その事実がわかるとどんな強国の指導者も牽制《けんせい》されることは、ケネディ、フルシチョフ時代の「キューバ危機」からも明らかである。現在、冷戦時代と大きく異なるのは、これにいわゆる「人工知能（ＡＩ）」の発達が加わり、どの陣営の首脳もそのデータに頼って軍事情勢を判断していると想定されることである。

人工知能はその判断が客観的であり、感情に左右されない正確性を持つものだと、少なくとも人に錯覚させる力をそなえている。しかも指導者にしてみれば、人工知能に指示されたり勧告されることには屈辱感が少なく、むしろ自己の判断力が拡張されたと思い込みやすい。一方、今後の人工知能は性能が互いに酷似してゆくから、敵、味方の機械が同じ状況判断を下す確率はきわめて高い。米中、米ロの敵情偵察が同じ相互確証破壊の現実を報告して、指導者がやむなくそれを受け入れる可能性はかつてなく高まっているのである。

この点で、第一次、二次大戦型の戦争は起こりにくくなったが、それは世界全体がすべて平和になることは意味しない。とくに日本のような超大国の周辺国にとっては、かえって危険が強まることが予想される。

代理戦場になることを避けるために

日本は地理的には中国の周辺国であり、政治、外交的にはアメリカの周辺国である。現在、日米安全保障条約は有効であり、少ない防衛費の負担のもとで日本を守っている。しかし今後の百年間に、もし米中の対立が高まり、しかも相互が自国本土を戦場にすることを避けようとすれば、日本が両者の代理戦場になる危険は皆無とはいえない。

現に、米ロ間ではジョージアとウクライナが類似の憂き目にあって、国土の一部を奪われたり戦火に覆われたりしている。もし数十年後に中国が尖閣諸島はもとより沖縄の領有をめざし、突然の軍事行動を起こしたりすれば、日本の選択は難しいものになる。そのさい中国の口実となるのは、沖縄の日中両属という「過去の歴史」だろうが、その時代の沖縄県民の反基地感情の高まりいかんも、中国の野望を誘う材料になるかもしれない。

もちろん日本はアメリカに日米安保の発動を求め、米政府もそれに応じるだろうが、アメリカが米中全面戦争を避けたがっていることは、十分に配慮しなければなるまい。緒戦で中国に一部勝利の実績を与えたりすれば、たとえば尖閣諸島の占領を許したりすれば、南シナ海のパラセル、スプラトリー両諸島の事例が教えるとおり、アメリカがそれを後から覆すのはきわめて困難になる。

今後百年、日本は災後復興の負担にかかわらず、外交に一層の努力を傾けるとともに、自主的な安全保障の方策を固めなければなるまい。少なくとも中国の野心を誘うような隙を見せない程度に防衛力を高め、それを内外に示す労苦を惜しんではならない。沖縄県民にたいしても、基地負担の軽減を目に見えるものにするのと並行して、この国難の理解を請う不断の努力が必須になるだろう。

経済に常識を越えた対策を

日本の百年後を考えるにあたって、おそらく誰もが最初に念頭に浮かべるのが経済であり、国の財政状態だろう。人口減少、国の債務の膨大化をまえにして、さらに天災、安全保障の負担を予想したとき、これへの対策は常識を超えたものにならざるをえないと思われる。たとえば通常の消費奨励の政策が無効であるのは、つとに国民の消費構造が物質消費から時間消費へと変わっていることから明白である（山崎『柔らかい個人主義の誕生——消費社会の美学』参照）。現在すでにスマホなど電子通信機器の大量普及が、若者をますます金のかからない純粋な時間消費に駆り立てている。

そして確実とされる人口減少と高齢化は、生産現場に直接の打撃を与えるのみならず、消費の縮小によって経済成長の道を塞ぐ。これにたいして外国人労働力の移入は、過度に急ぐと社会文化の混乱を招きかねず、アジア諸国の今後の発展を見越すと供給源にも不安がある。女性労働力の増加には期待ができるが、出産率の向上と家庭教育の充実との両立を配慮すれば、むしろ男女ともに労働時間短縮の政策を並行させなければならない。

紙数の制限から早口になるが、私の年来の構想をいえば、ここで考えられるのは教育制度の抜本的な改革だろう。すなわち現在の義務教育を完成教育として充実したうえで、その終了をもって社会人の誕生と見なすことである。原則、中学卒業者はただちに職場に進出し、即戦力として働くとともに、各種のスキルを「OJT（オン・ザ・ジョブ・トレーニング）」によって習得することにする。

前提となるのは既存の義務教育の要求の高さであり、この学課内容を完全に習得すれば現在の一般成人の教養をはるかに上回る、という事実である。現状では中学に卒業試験がないために、大部分の生徒が未習得のうちに卒業し、意欲も能力もないままに高校へ、さらに大学へと進学していているありさまである。正直、今日の大学、高校の大半が労働力の遊休人口の集積地になっており、これを職場に誘導するのはきわめて穏健な対策だろう。

一方で、義務教育の現場を充実し、全国一斉の厳正な中学卒業試験を実施するのは当然である。相当な教員増が必要となるが、人材は縮小を予想される高校、大学の元教員を転用すればよい。そのうえで残された少数の優れた高等教育機関は厚遇し、学生には奨学金を、教員には研究費を手厚く支給して、高度の学術研究に専念することを要求することが望ましい。

二十一世紀の現在、政府と文部科学省の政策はこれとは背馳《はいち》して、大学に「実学」教育を求め、職場の実務教育の補充に当たらせようとしているように見える。しかしこれがいかに実情にあわない空論であるかは、労働経済学者、猪木武徳氏の近著『デモクラシーの宿命』に詳述されている。職場の「ＯＪＴ」は刻々に進化し、大学の教室が代替できるほど生易しいものではないし、逆に大学の研究は後世に偉大とされるものほどすぐには役に立たない。この主張に満腔《まんこう》の賛意を覚える私としては、これに高等教育の少数精鋭化を加えて百年後に期待したいと考える。

こうした過激な対策を取っても、なお残るのがあの巨大な国債（地方債を含む）の重圧、現代人が未来世代に負っている借財の山であろう。経済に疎い私には、問題の具体的な未来像も解決策も明言できないが、「百年後」を予想する人間として、これについて語ることは道徳的な義務だと確信する。なぜなら一方の利害当事者である未来世代は発言の機会を持たないうえに、被害だけは確実に受ける立場に置かれているからである。

素人意見の嘲笑を受けることを覚悟のうえで、あえて論議のきっかけまでに発言するなら、私はさしあたり二つの検討課題がありうると考える。一つは増税であって、それも逆進性の強い消費税ではなく、所得への累進課税を強化することである。ちなみに所得税の最高税率の推移を見ると、一九七四年に七五％だったものが、九九年には三七％に減り、二〇一五年以降は四五％にまで復活している。だがこの最高税率を課されるのは年収四千万円を超える部分だから、実際の被課税者は全納税者の〇・一％以下にすぎないのである。

それでもこれで国庫の収入は九千億円ほど増えるというから、最高税率を七五％に戻し、課税範囲を全納税者の一％まで拡大すれば、百年間に期待できる増収は相当な額に上るだろう。注意したいのは一九九九年、二〇一五年のいずれも、税率が変動したとき世論に大きな反応はなかったことである。ついでながらこれに併せて企業の内部留保への課税、個人の動産（貯蓄、株式）への課税、現在二〇％の金融所得課税の倍増など、専門家の検討を促したいテーマは少なくない。

二つめの検討課題は夢のような話だが、日本の海底に眠る稀少《きしょう》金属、稀少泥土（レアメタル、レアアース）の開発による収入増である。二〇一三年、日本は南鳥島南東の公海上で、稀少金属の排他的探査権を持つことについて、国連の国際海底機構の承認を得た。同地域の海底千～二千メートルには、レアメタルを多く含む「コバルトリッチクラスト」の層が眠るからである。もちろん領海や排他的経済水域の内部では、沖縄や小笠原諸島周辺でつとに広く探査が進められ、さらに海水からリチウムを抽出する技術も開発途上にあると聞いた。

こうした稀少資源はこれまで多くを輸入に頼り、とくに中国への依存が大きいというから、その国産化を急ぐのは安全保障上も重要である。今のところ、探査、発掘には膨大な費用が予想され、中心的に任に当たる「石油天然ガス・金属鉱物資源機構」は苦境に立っている。政府は二〇一八年度、機構の予算を三割減らしたが、その潜在的な目的に照らして慎重に政策を持続し、機構に旧「石油公団」の轍《てつ》を踏ませるのは避けるべきだろう。

むしろ未来世代を念頭に努力を加速するとともに、新資源からの収入が確実に国債の削減に繋《つな》がるよう、今のうちから国策の決意を宣明しておくべきである。現状の法制度についてはよく知らないが、排他的経済水域内の海底鉱物資源をすべて国有化するとか、将来の採掘事業を国の認可制にするなど、十分な課税の確保を担保しておくのは当然の政策だろう。

夢でない文化立国の将来

暗雲低迷する経済にたいして、日本社会の文化水準はほぼ半世紀前から確実に向上を見せている。文化といっても計測しがたい藝術や学藝は暫《しばら》く措《お》いて、目に見える醇風《じゅんぷう》美俗、公徳心を含む生活文化の改善がいちじるしいのである。これについては読売新聞の「地球を読む」など、各所に拙論を披露してきたからくどくは繰り返さないが、変化は七〇年代の有名な企業広告、「モーレツからビューティフルへ」に予言されていたようである。

その後、五十年を経た現在、「猛烈社員」も大量生産もなお健在ではあるが、消費を中心とする日常生活のスタイルが一変したことは確実だろう。先に物質消費から時間消費への転換と述べたが、人々の関心がファッション、美容、健康、清潔、室内デザインなどに傾き、また観光を通じて自然、市街景観へと移るにつれて、消費もそれらをめぐる業種を潤すようになった。いずれも「ビューティフル」への関心であって、同時に消費者の側のからだを動かす行動、自分で何かをすることを伴う消費への関心であることに注意したい。

この消費の変化と暗合するかのように、過去五十年間、国民の社会貢献への参加意欲が徐々に高まった。もっとも目立ったのが災害時の救援ボランティアであって、阪神・淡路大震災には全国から一年で百四十万人弱の有志が集まった。その後、この趨勢は東北、熊本などの被災救援にも持続され、安定した社会習慣として定着した観がある。また同じ時期に、日本中に多様な非営利団体（NPO）が設立され、自分で何かをすることを望む市民を結集している。これらの有志が伝統的な地縁、血縁と無関係に、個人の意志に基づいて全国規模で集まっていることも新しい。

論理的な因果関係は明確ではないが、印象のうえではこれに並行して、さらに日本の一般的な醇風美俗が高まっていることも疑いない。顕著な例をあげれば、落とし物が持ち主の手に返る割合で日本は世界一なのである。とりわけ家庭ゴミの処理、街路の清掃と汚染防止、環境保護と交通マナーの遵守など、身近な風俗の改善がいちじるしい。面白いことは、この公序良俗が早くも日本の新しい顔となり、文化財として輸出されて、世界の諸国民に影響を与えていることである。

フランスのパリは美しい景観で有名だが、街路の汚染の酷《ひど》さではかねて顰蹙《ひんしゅく》を買っていた。ここに在住する日本人が有志を募って清掃を始めたところ、最初、パリ市民の反応は否定的だったという。清掃は行政の責任だという世論が強く、市民の関与は清掃労働者の職を奪うという意見までであったが、日本人グループは反論せずに黙々と作業を続けたところ、形勢はしだいに変わってきた。一人、二人とフランス人参加者が増え、やがて彼らが運動の主力を占めるようになったという。

もう一つの文化輸出の例はエジプトだが、こちらは同国大統領の積極的な誘致に基づくものである。政治学者でＪＩＣＡ理事長の北岡伸一氏によると（新著『世界地図を読み直す』）、大統領は日本の小学校に強い魅力を覚えていて、エジプトに日本式の小学校を輸入したいと申し出た。日本を代表して北岡氏が子細を尋ねると、輸入するのはハードではなくソフトであって、生徒が自分の教室を自分で掃除するよう躾《しつ》ける学校を作りたい、ついては二百校をめざす新小学校の校長には日本人を迎えたい、というのが答えだったという。

思えば生徒が学校の掃除をすることには、さまざまな躾け効果が秘められている。公共物を私物同様に愛すること、自分の身辺管理に責任を持つこと、友人との共同作業に参加すること、掃除のような作業に階級的な差別感を持たないことなど、日本人がほとんど意識していない多くの徳目が含まれている。面白いのは、その隠れた公徳心に外国人が注目し、普遍的な価値として認めたうえで、輸入しようとまで考えたことだろう。

このような事例は今後も増える兆しがあって、日本が世界のなかで経済よりも文化によって、力よりもイメージによって国を立てる可能性は少なくない。もちろん文化は変わるものであり、国民性も永久不変ではありえないが、現在の美俗が半世紀かけて養われた伝統であること、しかもこれが普遍化して外国に受容され、その「跳ね返り」効果が予想される点を考えると、この事態が百年後に引き継がれることを夢見ても荒唐無稽ではあるまい。

来し方、行く末を想う日々

さて、こうした波瀾《はらん》の時代を生き抜いたのちに、百年後の日本人は何を想って暮らしているだろうか。今後の百年が疾風怒濤《しっぷうどとう》を孕《はら》んでいればいるほど、人々の歴史感覚は研ぎ澄まされていると想像される。とくに現代の文書保存、電子機器による映像保存の普及を考えると、後世の人々が来し方、行く末に思いを馳《は》せる機会は増えているだろう。何ごとにつけ「忘れない」と誓う昨今の風潮も、無常感の深化と裏腹に引き継がれているはずである。

そしていうまでもなく、過去を知れば知るほど、行く末を想う人間の願望には際限がない。百年後にも「百年後の日本はどうなっているか」と、二十三世紀を占う文章は書き継がれているにちがいない。歴史主義が「近代」という時代の特色だとすれば、百年後にも「近代」はつづいているということかもしれない。

〔『アステイオン』第91号、特集「可能性としての未来——一〇〇年後の日本」二〇一九年十二月〕

二十一世紀の感染症と文明

世界史的な時間への復帰

今回の「新型コロナ・ウイルス肺炎」の蔓延《まんえん》は、二つの意味で「歴史的」な事件と見なされることだろう。まずはもちろん、これが現代史を分かつ画期的な惨事として、未来の文明に深い影響を残すだろうからである。だがそれ以上に大きい意味は、この悲劇が近代人の秘められた傲慢に冷や水を浴びせ、人類の過去の文明、都市文明発祥以来の歴史への復帰を促すと考えられることである。

近代と呼ばれる時代にはいくつかの段階があるが、その段階を自覚するごとに人類は傲慢になってきた。工業が誕生して富が天候に左右されなくなるにつれて、幼児死亡率が減って平均寿命が延びるにつれて、人類は過去とは異質の時代にはいったと錯覚してきた。近代化への「離陸（テイク・オフ）」が世間の標語となり、人は幸不幸の両面を含めて古い昔とは別世界にはいったと妄信した。

だが悪疫の流行という目前の惨事は、あまりにもあけすけにこの傲慢をあざ笑った。感染という言葉こそ新しいが、病気が移り、はやるという現象には千年前と何の違いがあるのか。目に見えぬ恐怖に脅《おび》えるという実感のうえで、現状は西洋中世のペストや日本の瘧《おこり》（主にマラリアを原因とする熱病）とどこが異なるのか。近代は世界の空間を広げ、グローバル化を達成したと思っていたが、今回のウイルスはその全体を覆っているのだから、逃げ場がないという意味では前近代の村落と同じではないか。

さらに考えると、現代人の不安と恐怖は中世人の怯《おび》えよりも過酷だといえる。中世においてはまず死が日常のなかにあって、人々がそれに耐える感性を備えていたからである。戦争が日々に街なかで闘われ、斬首や獄門という刑も大衆の面前で執行された。もとより餓死者や病死者の数も多く、街頭で行き倒れを見る機会も少なくなかった。人々は家族の死を家庭のなかで看取り、湯灌《ゆかん》から納棺、土葬までみずからの手でおこなっていた。

これに応じて民衆の心の備えも手厚く、信仰心も強ければ世界観としての無常感も身につけていた。とりわけ日本人の無常感は独特の感性であって、特定の宗教宗派を超えてこの世と我が身の儚《はかな》さを見明きらめ、そのことをおびただしい歌に詠んで、諺《ことわざ》にも記してみずからに言い聴かせてきたのだった。

一方、現代人は長らく死から逃避し、死から目をそむける習慣を養ってきた。死体の処理は専門家の手に委ね、葬儀でさえしだいに簡略化する方向を選んできた。とくに第二次世界大戦後の日本人は戦死者を見聞する機会もなく、長寿社会を謳歌するなかで死を直視する強靭《きょうじん》さを失ってきた。昨今の報道で新型コロナ肺炎による国内外の死者の数を知り、死が他人事ではないことを感じる恐怖は格別に深いはずなのである。

ちなみに近代にも世界的感染拡大（パンデミック）の記録はあって、それがあまり記憶されていないのが不思議とされている。ほかならぬ俗称「スペイン風邪」であって、一九一八年から翌年にかけて世界では二千五百万人、日本でも三十九万人の死者を出した大惨劇であった。これが容易に忘れられたのは不審だという声もあるが、管見によれば理由は単純であって、事件がまさに第一次世界大戦の終末期に起こったからである。人心が人間の死に慣れ、しかも平和の喜びという別の興奮に沸いていたのが特殊事情であった。

さらに二十年を挟んで二十世紀には第二次世界大戦も起こり、その陰で「スペイン風邪」は歴史的記念碑となる機会を失った。その点、今日の新型コロナ肺炎はやはり独特であって、冒頭に述べた歴史の転換点を刻印する可能性は十分にある。第一に、「相互確証破壊（ＭＡＤ）」の深化とそれを指導者が自覚したことによって、第三次世界大戦の恐れは小さくなった。第二に、問題のパンデミックが近代化の最先進国、アメリカとヨーロッパ、それに日本を深く剔《えぐ》ったからにほかならない。

当面の恐怖と不安の特殊性

数々の自然災害と比べても、感染症の人に与える恐怖と不安は独特のものであって、深刻さは桁はずれに大きい。地震であれ台風であれ、自然災害は目に見えるのにたいして、感染症はその病原体も感染経路も闇に隠れている。見えない敵が怖いのは人間の本性であって、何にどこまで脅えたらよいのか、それがわからないことが不安を倍加する。

そのうえこの恐怖はいつまで続くのか、先行きがまったく見えないことも焦燥を煽《あお》る。もちろん地震の被害も復興に数十年を要することがあるが、少なくとも罹災《りさい》から復興に転じる見通しは数か月の範囲で立てられる。ところが「スペイン風邪」の鎮静までには三波にわたる執拗《しつよう》な襲来があり、その度に新しい恐怖の更新が続いた。新型コロナ肺炎の場合、まだ第一波がいつ終わるかもわからず、終焉までに何波が襲来するのか先が見えない。

しかしとくに近代人にとってこの災害が耐えがたいのは、それ対抗して「する」ことがないということではないだろうか。日本政府の「緊急事態宣言」を受けて、国民が要請されているのは外出しないことであり、出勤しないことであり、営業しないことである。いずれも何かを「しない」ことであって、何かを「する」ことの正反対の要請である。

欧米を含め、諸外国政府の措置はもっと強硬であって、法的手段にもとづく都市封鎖をおこない、不要不急の外出者に罰金を科すという荒業を見せている。日本の政策ははるかに良識的だが、皮肉をいえば、その分だけ、国民は自分の意志で何かを「しない」という決断を強いられているともいえる。しかしこの選択は誰が考えても避け難いものであって、いま国民にできることは何一つない。

目下、働いているのは医師、看護師、検査技師といった医療従事者であり、この専門家の壮烈な奮闘ぶりは日々に報道されている。そのほかにいわゆる「エッセンシャル・ワーカー」と呼ばれる人々が、輸送や物流の最前線を支えていることが知られている。一般の国民は彼らの奮励と自己犠牲を目の当たりにするにつけ、ますます自分が何もしていない現実を思い知らされることになる。

振り返れば近代的な人間にとって、何もしないことが美徳であった経験は一度もない。マックス・ヴェーバーの説く資本主義の徳目の筆頭は、いうまでもなく時間を惜しんで働き続けることであった。とりわけ日本人は近代以前から勤勉であり、宗教的な「安息日」の観念を持たないこともあって、休むことが奨励に値するなどとは夢にも思ったことがなかった。「緊急事態宣言」発令後の国民の動向を見ても面白いが、明らかに週日の通勤日の外出者の数が多く、週末の行楽外出の数を上回っているのが報じられている。

この点でもう一つ忘れてはならないのは、近年のボランティア活動の普及であって、緊急時には奉仕のために身を挺「する」という常識が広まっていることだろう。この活動はほぼ「阪神・淡路大震災」のころに盛り上がって定着し、日本人の社会意識の大きな転換を反映したものであった。それまでの数世紀にわたって、日本人の社会奉仕は血縁・地縁の範囲に限られていて、民衆が善意を発揮する相手は義理と人情の及ぶ顔見知りだけであった。それが「阪神・淡路大震災」では全国から延べ百数十万の有志が結集して、昨日まで何の縁もゆかりもなかった被災者を救済した。

これは日本人にとって倫理感覚の大転換であり、新しい公徳心の目覚めだと私は考えるのだが、東日本大震災、熊本地震など長らく続いた醇風《じゅんぷう》も今回は禁じられた。それどころか今は血縁・地縁者に犠牲が出ても、助けに行か「ない」ことが美徳とされているのである。「緊急事態宣言」から二週間、テレビに取材される日本人の表情は穏やかで、ただ「ストレスが溜《た》まる」、「いらいらが募る」と呟《つぶや》くばかりだが、こうして察すると国民の耐えている心情の奥行きはかなり深いといえる。

つけたりだが、耐え忍ぶ国民のために一言だけ加えれば、なぜか政府もジャーナリズムもこの数か月、「コロナとの闘い」を口にしながら、闘いの攻めの部分の情報を十分に伝えていないのは奇妙である。医療現場の苦闘の模様は周知されているが、それはあたかも負け戦のようなありさまに重点が置かれ、人材や器具機材の不足ばかりが訴えられている。この闘いの勝ち戦への側面、すなわち治療法と特効薬の発見、とりわけワクチンの開発状況については情報不足が著しいのである。

管見するところでは、『日経サイエンス』誌の二〇二〇年五月号がただ一つ、勝ち戦の朗報と呼べる記事を載せていて、新感染症が国際的に認知されて一か月の内に、早くも医学者はウィルスの蛋白質の立体構造、遺伝子の塩基配列を発見し、ワクチン製造の端緒に漕ぎ着けたと報じている。ひたすら隠忍の今の日本人の糧となるのはこういう情報であって、最低一、二年はかかるといわれるワクチン完成についても、刻々にどの段階までできたのか、期間の短縮にはどんな支援が必要で何がなされているかを報せることだろう。

半世紀の公徳心向上の成果

取材される国民の表情は穏やかだと書いたが、間違いなく、「緊急事態宣言」後の日本人の行動ぶりは国際的に見ても良識に満ちている。アメリカやインドで外出自粛への反発が強まり、デモや暴動が起こったりしているのを見るにつけて、繁華街も観光地も閑散とさせ、学習塾や老人介護施設の一部自主休業にまで甘んじた自制心は特記に値する。企業の在宅勤務は宣言の発令まえから始まり、出勤時間の短縮を加えるとすでに事務室の大半は空席と化している。組織に親しみ、和合を尊んで働いてきた企業人間が、孤立と自己管理の厳しさをみずからに課している。反対に、これまで独立自尊の労働を営んできた零細自営業者は、一斉に休業の勧告を受け入れ、あるいは無収入の窮状を忍び、あるいは工夫を凝らして共同事業の道を模索している。

日本人の良識と自制心は長い歴史を持ち、ラフカディオ・ハーンの見聞記にも記録されているが、現に今、静かに発揮されている公徳心はやや後にあらためて養われたものだ、と私は考えている。たとえば前回の東京オリンピックのまえ、一九六〇年代前半の東京では、街にも水路にも家庭ゴミが散乱して腐臭を放っていた。オリンピックを迎える準備のなかで行政が奮起して、ゴミ入れのペール缶を家庭に配布し、ゴミ収集車を配備してようやく街からゴミの姿が消えたのだった。

日本人の社会感覚が顕著に変わり、美と倫理の基準が新しく芽生え直したのは、私の記憶では一九七〇年代の初めではなかったかと思う。たまたま富士ゼロックスの企業広告が七〇年、「モーレツからビューティフルへ」と訴えたのが印象的だったが、その後の歴史はこの標語を忠実に実現するものになった。

経済成長はまだ続いていたものの、その内容はしだいにハードからソフトへと変わり、量産一点張りからデザインやコンセプト重視へと移っていった。ほかでもすでに書いたが、このころ隆盛を見せ始めたTシャツが典型的であって、原料費百円の木綿布にたいして、デザインを施すと三千円で売れるというギャップにも、苦情を言う人はいなくなった。商品全体の多様化も足早に進み、「多品種少量生産」がスローガンとされるにつれて、デザインの文化性、さらに文化産業への傾倒はますます強まることになった。

身辺を美しくすることに関心が移るのに並行して、同じころから人々がおこないを美しくすることに傾き始めたのは、面白い暗合であった。八〇年代には、銀座で立ち小便をする紳士の姿は消え、交通渋滞に苛立《いらだ》ってクラクションを鳴らす運転者は皆無となった。犯罪率が低下したのはもちろん、家庭ゴミを分別して出す習慣が確立し、駅の乗車口で乗客が行列して待つ風景も普通になった。落とし物や忘れ物が持ち主に返る割合で現在の日本は世界一であり、現金入りの財布でさえ警察に届けられる稀有《けう》の国である。それらの頂点として、ボランティア活動が不動の風習となったのが一九九五年一月であり、その美徳はつい昨日まで栄え続けたのであった。

現実主義と無常感の両立へ

はたしてこの日本人の美徳が国難に勝ち、このままぶじに最終局面を迎えられるかどうかはわからない。意外な七転八倒が待ち受けている恐れもないではないが、歴史上すべての疫病はいずれ終息することが知られている。現在の新型コロナ肺炎の去った後に、どんな将来世界が残るのか、いな、残さねばならないかは今から考えておいてよい課題だろう。

十四世紀のペスト大流行の結果、西洋社会が構造的変化を見せ、封建時代の終わりを準備したというのは有力な説である。人口の激減が荘園経営を困難にし、労働生産性を高めたのが産業近代化への道を開いたというのだが、もしそうなら同じ程度の変化が二十一世紀に起こるとは考え難い。遠い未来に現れる影響は予言できないが、当面の世界は別の緊急の問題を抱えていることが、このコロナ禍によって先鋭に暴露されたからである。

ほかならぬグローバル化がそれであって、これが疫病流行の直接の原因だったことは問わないまでも、この災厄の防御に何の役にも立たなかったことは露骨なほど明白だった。民衆を守ったのは国家であって、それも自衛のために一国主義的に働く国家であった。この国家の姿勢の是非は暫《しばら》く措《お》いて、万人が思い出したのは、市場は富の分配には貢献するが、富の再分配に役立つのは国家だけだ、という永遠の真理ではなかっただろうか。

たぶん今後の人類はグローバル化の暴走には慎重になり、とくに巨大グローバル企業の国家への挑戦に批判的になるだろう。納税すべき国家を巨大企業が選択できるような事態を避け、民意が企業経営に及ぶ政治体制を維持するために、あらためて国際協調の努力が期待されるし、それが必須になるだろう。

もう一つ、その国家が泥沼を脱した後に急ぐべきことは、未来世代との平等の問題であり、今回の緊急対策で生じた天文学的に巨大な将来への借財の処理である。そのためには経済の回復に努めるとともに、思い切った所得税改革による高度累進課税の復活を図るのも一策だろうし、思いつきだが、排他的経済水域内の海底資源を前もって国有化しておくのも知恵だろう。レアメタル、レアアースを含む日本近海は財源の宝庫であり、採掘者に特別に高額の税を課して、未来世代への遺産とすることも一考に値するはずである。

しかしそうした現実の課題と並んで、おそらくそれ以上に重大なのは、やがて起こり始める国民各自の世界観の転換であろう。冒頭で述べたことだが、今回の歴史的な悲劇を経験することを通じて、誰しも実感したのは自己が密《ひそ》かに抱いてきた近代的な傲慢だったにちがいない。疫病が社会を世界規模で揺るがすのは昔の話であって、現代はつとに別次元の時代を画しているという通念が傲慢にほかならず、ただの妄信にすぎなかったことを万人が思い知ったのではないだろうか。

現代もまた歴史的に古代や中世に直結しており、その間に多彩な変化や改良は試みられたものの、文明の進歩と呼びうる価値的な飛躍は起こらなかった。文明は自然との交渉のなかで勝ったことは一度もなく、何千年も暫時の妥協を繰り返してきたにすぎない。今後もその事態は続くだろうし、人類は文明を守る努力は捨てられないが、文明を進歩させるという迷信は諦めるべきである。当面の現実を変える刻苦勉励は怠ることなく、しかしそれが歴史を画するという世界観、進歩主義のイデオロギーは忘れなければならない。

おそらく二十一世紀の時代思想として、今後の日本人はこのように考えを改めるだろうし、そうあってほしいというのが私の願いである。そしてさらに私の願いを広げれば、今回の経験が伝統的な日本の世界観、現実を無常と見る感受性の復活に繋がってほしいと考える。無常感は国民の健全な思想であって、間違っても感傷的な虚無主義ではない。現実変革の具体的な知恵と技を発揮しながら、にもかかわらずそれを無常の営み、いずれは塵埃《じんあい》に返るつかのまの達成にすぎないと見明きらめる、醒めた感受性なのである。

「色は匂へと散りぬるを、我か世たれそ常ならむ」。かな文字を読むすべての国民が学んだこの真実が、今、人知れず反芻され共有されつつあるように思われてならない。

（二〇二〇年五月上旬脱稿）

〔『中央公論』二〇二〇年七月号、特集「コロナ・文明・日本」〕

Ⅲ

ビブリオバトル

読書の「甲子園」

耳慣れない名前かもしれないが、「ビブリオバトル」という活動がある。訳せば「良書推薦合戦」とでもなろうか。人が集まって互いに面白く読んだ本を推薦し、聞き手の興味を引いた度合いを競いあう競技である。競技は日本各地で催されているが、全国規模の大会が読売新聞の主管のもとに開かれ、二〇一五年の高校の部では参加校数は六百五十に上り、予選を勝ち抜いた三十六人が五百人の観客の前で戦う、という一大行事にまで発展した。

発案者の一人で、中心的な推進者の谷口忠大氏の著書『ビブリオバトル――本を知り人を知る書評ゲーム』（文春新書）によると、この競技は谷口氏が在籍した京都大学大学院情報学研究科で、有志の勉強会が一緒に読む本を選ぶために始まったという。

ルールは四つ。一つは推薦者が自分で面白いと思った本を持ち寄ること、二つにはそれを正確に五分で紹介すること、三つ目は参加者全員が二、三分の討論を交わしたうえで、四つ目に投票によって優勝本を決めるというものである。

最初、ささやかに研究室内で楽しまれる会だったが、やがて学内や他大学にも広がるなかで、投票はするが推薦はしない聴衆を受け入れる形式も工夫された。全国的な普及委員会なども構想されていたおり、たまたま紀伊國屋書店がこれを知って興味を持ち、二〇一〇年、同店が大阪で公開した競技が初めて一般社会に開かれたビブリオバトルとなった。

一方、読売新聞は早くから活字文化の将来を憂慮し、二〇〇二年には学者や筆者、出版社と書店の代表からなる活字文化推進会議を組織していた。社内に設けられた事務局は活発で、全国的に講演会、セミナーなどを開くほか、その成果を記事にして「読むことの楽しさ」を啓発していた。運命的ともいえるのは、この事務局が縁あって先ほどの紀伊國屋書店の催しを知り、ただちにその効用に気づいたことであった。その後の展開は早く、一〇年中に東京都の協力も得て、全国的な地方予選、首都決戦の態勢が整えられた。

今ではこの催しが読書の「甲子園」として定着し、高校の部、大学の部に分かれて、それぞれ優秀な若い読書人を輩出している。

書物の内容は哲学からSF小説まで多様だが、水準は信じ難いほど高い。二〇一〇年の大学の部の優勝本がE・ゴッフマンの『スティグマの社会学』、一二年には九鬼周造の『「いき」の構造』が選ばれたといえば、驚くのは私だけではないだろう。念を押すが、これは優れた一青年の弁舌だけではなく、多くの聴衆の投票によって選ばれたのである。

未知の本に触れ、知を磨く

活字文化推進会議の席上、私も大会の様子を映像で見たが、発表する若者がはきはきした言葉で、本と自分について要領よく語るのが印象的だった。読書の習慣はたんに知識を増やすだけでなく、自己表現の能力も高めるのだと改めて実感させられた。

それにしても、ビブリオバトルはなぜこれほど成功したのか。良い本を読むと感動を他人に語りたくなり、自然とそうする習慣が本能のようにあったからだが、それならそういう本能はなぜ人間に備わっていたのだろうか。

おそらく根源は、生物が共同体のなかに生きる存在であり、人間はその共同体を言葉によって固めてきた、というところまで遡《さかのぼ》るだろう。

言葉は情報や感想を語るとともに、古くから噂話《うわさばなし》や伝承や神話、つまりは物語を伝えてきた。井戸端会議の評判や囲炉裏を囲む昔話から、吟遊詩人の演じる叙事詩まで、物語は人が口頭で語り、そして語り継ぐことによって共同体を一つにまとめてきた。

その際に大切なのは語り継ぐことであり、同じ物語を少しずつ変形しながら、繰り返し他人に引き継ぐことであった。噂話が典型的なケースだが、物語は人から人へ伝わる回数が多ければ多いほど、次第にその信憑《しんぴょう》性が高まってゆく。言い換えれば、物語は実は語り継ぎのなかで真に創作され、共同体の協働制作物になるのである。

こう考えれば明らかだが、ビブリオバトルがやっていることは、まさにこの語り継ぎの作業だった。

良書を読めば語りたくなるのは、太古に植え付けられた人間の遺伝子の働きだろう。読んで語る人はただの読者ではなく、語り継ぐことで本の信憑性を高め、共同体の共同財産にするという意味で、むしろその本の共著者と呼んでもよいはずである。

ちなみに近代は個性の時代であって、独創性、特異性を異様に尊重する風潮がある。しかも個性は生まれつき備わっているという迷信があって、かつて教育現場でも作文の指導に際して、「思ったことを自由に書きましょう」などと教えたことがあった。

だが人間は教えられた言葉によってものを思う動物であって、先人の書いた本を読まず、用語法や表現法も知らない子供には、「自由に思う」ことなどできるはずがないのである。

たとえば、「たそがれ」という言葉を知らなければ、独特の情調を帯びたあの雰囲気を感じることはできず、夕方という物理的な時間しか感じられないだろう。

実をいえば、近代の個性的な著者も生涯に無数の本を読み、そこで学んだ言葉によって知性と感性を磨き、そのうえで書いているのだから、創造とは語り継ぎの一種だともいえるはずである。

それにつけてビブリオバトルのもう一つの長所は、これが作る共同体のなかで、個人の関心を多様化させるという機能である。

メンバーは常に他人が推薦する意外な本に出会い、自分の殻を破って未知の知的世界に触れることができる。これは現代の電子情報が個人自身の検索した知識しか与えず、結果として個人の興味の範囲を狭くしているのに対して、有力な救いになると思われる。

人間は知りたいと考えたことを知ることでも賢くなるが、あらかじめ存在するとも知らず、知りたいと思わなかった知識を知ることで、さらに賢くなることができる。人は新聞や雑誌で日々にそういう意外な知識を得ているわけだが、ビブリオバトルの交流は同じ経験を単行本の分野にも広げるのである。

人々が活字文化を疎んじ、電子情報の検索に頼って生きることは、単に文章力や思考力を弱めるだけでなく、個人を殻に閉じこめて共同体を破壊することにつながる。

私はその意味で、ビブリオバトルを義務教育に取り入れることを提案したい。国民を本を読む人と読まない人に分け、文化的な階層社会を生むことはぜひ避けたいからである。

〔『読売新聞』二〇一六年九月五日「地球を読む」〕

市場の巨大化が蝕む国家の紐帯

利益の極大化が最大の目的

昨年、二つの一国主義的な大事件が起こった。いうまでもなく、一つは英国の欧州連合（EU）離脱であり、もう一つは米国大統領選挙でのトランプ候補の当選である。どちらも露骨に自国一国の利益を優先し、孤立を目指そうとする勢力の勝利であった。

もちろん両国の選択は賢明ではなく、その愚かさに気づいている人は両国の内部にも多い。現代世界では経済でも防衛でも、友好国の相互依存の網目は緊密にできあがっていて、それを破れば大国でもしっぺ返しを受けるのは自明だからである。現に英国の離脱交渉は遅々として進まないし、トランプ大統領は就任前から反対のデモを受けている。

にもかかわらず、この愚かな選択の遠い背景に、愚かさを招くような巨大な文明上の問題が存在するのは、事実である。一言でいえば、急速に進む地球規模の市場経済と、長い伝統を持つ国民国家の対立である。国民国家も相互協力の絆《きずな》で結ばれてきたが、昨今の市場は協力ではなくて融合を求め、国家の存立を脅かすような破壊力を見せている。

じっさい現代の巨大企業は中小国家の予算を超える資金を持ち、安い労働力と低い法人税を求めて、世界中に生産拠点を展開する力を備えている。その目的は自己の利益の極大化だけであって、そのためなら国家の利益を損ね、その規制力を弱めることもあえて辞さない。それは個人としての企業人が公徳心を持つかどうかと関係なく、企業という組織に構造的に宿命づけられた性格である。

米国の場合が典型的だが、企業の真の主体は投資家であり、顔も感情も持たない無人格の主体だからである。ほとんどの投資家は企業の具体的な振る舞いを見ることもなく株価だけに関心を抱いている。経営者も無人格な主体に奉仕し、出処進退も業績の数字で機械的に左右される存在だから、公徳心など持っても無力なのである。

道徳、公徳心をいかに守るか

一方、国民国家は本質的に人間臭い集団であって、個別の顔は見えなくても言語を含む風俗習慣という仲間意識で結ばれている。習慣はその中から法と制度という紐帯《ちゅうたい》を生み、それがさらに習慣を強化するという循環が起こって、国家の絆は自然環境にも似た安定を保ってきた。ちなみに道徳、公徳心という言葉はギリシャ語やラテン語では習慣と同義語だったのだが、その含蓄は世界中に残っている。公徳心は今も国家の習慣として生き続けているのである。

それを根拠に現代国家は国民に法と公序良俗の遵守《じゅんしゅ》を求め、代わりに安全や平等、最低生活の保障などの責任を負っている。何よりも国家は家族や村落の延長として、個人に帰属意識を与えてきた。人間は生まれつき共同体の動物だから、この何かに属しているという感覚は重要だった。

国家がそれだけの機能を持つには長い時間がかかり、任意に国家を造るのが容易ではないのは明白だろう。遠藤乾氏の近著『欧州複合危機』を読むと、EUが通貨統合と国境撤廃まで果たしながら、欧州議会を強化してEUを真の一国にしようとするると、その度に失敗してきたことがわかる。国家が習慣の蓄積の産物である以上それが当然であり、欧州にはもっと辛抱が必要だということだろう。

また現代には民主主義国家というものが生まれ、そこでは、原理的に国民が国家の主人であって、国籍さえあればだれでも自分の国家の運営に意思表示ができる。この民主国家を造るのに人類は長い時間をかけたのだが、それができたのも国家が習慣の蓄積であることの格好の証拠だろう。習慣とは一定の同一性を保ちながら、時間をかければ生き物のように柔軟に変わるものなのである。

一国ナショナリズムは誤りだ

その意味で、現代国家は人類にとっていわば天与の宝なのであるが、昨今、その力が企業によって脅かされているのが問題なのである。実は古くは企業も人間の共同体であり、人に帰属感を与え教育や福祉を助ける組織だった。職人気質《かたぎ》で結ばれた人間臭い集団だったのだが、地球規模化と技術革新によって激しく変質した。労働者自体も顔の見えない生産手段と化し、それが彼らを怒らせている。

巨額の資金が国家の課税を逃れ、タックスヘイブンに隠されていた事実は昨年の話題であった。もっと深刻なのが、地球企業が国家に法人税の値下げ競争を余儀なくさせ、そのうえ雇用条件や労使関係を決める国家の習慣をも危うくしていることである。

これの行く先が国家の衰微につながるのは必須だが、まことに逆説的なことにそれを防ぐ道はトランプ流の一国ナショナリズムではない。ナショナリズムは柔軟な習慣としての国民性を狭く限定し、硬直した観念に化すという点で原理的にも誤りだ。何より現実的に見て、タックスヘイブンの撲滅も、法人税の値下げ競争の防止も一国では不可能であり、国際協調と連携が不可欠であるのは、素人目にも明らかだからである。

〔『産経新聞』二〇一七年一月十六日「正論」〕

人工知能の開発

「薔薇色」の背後に潜む深刻な問題

このところマスコミを騒がせている最大の話題の一つは「人工知能」だろう。人工知能（AI）と、それをロボットに載せるテクノロジーの知能化、あらゆる物をインターネットで結ぶ「IoT」は、蒸気機関の発明、電力エネルギーの導入、コンピューターの応用についで、「第四次産業革命」を起こすだろうといわれる。

最新の人工知能はただのコンピューターとは違い、自発的な判断力や感情まで備え、人間と同等か、それ以上の精神活動を行う能力を秘めている。工場労働をはじめとして、介護や医療の分野でも人間の代わりができるから、これで労働力不足の心配はなくなるという声がある。ある推計によれば、肉体労働、事務労働の八割が人工知能に委ねられると予想されるという。

労働を苦痛と感じる人は多いから、これを聞いて朗報と受けとるのが大勢となっている。未来学者はもちろん、テレビ・タレントでさえ「薔薇色《ばら》」の時代がきたと囃《はや》したてるありさまである。

だが少し待ってもらいたい。すでに思慮深い少数派が指摘しているように、この薔薇色の背後には失業と転職という深刻な問題が潜んでいる。

楽観論者は事態を軽く見て、事務や肉体労働の従事者は「創造的」な仕事に転職すればよいという。だがかりに本人がその気になっても、中年の事務職員がデザイナーや科学研究者へ転職することが可能だろうか。恐ろしい時間と努力が必要だが、その間の生活費と研修費用を誰が負担するのか。しかも楽観論者は職業観に偏見があって、事務職員が仕事を愛し、それまで生きがいを覚えて働いてきた事実を忘れている。

また考えれば脅威はさらに重大であって、人工知能が究極まで進化すれば、人類の一〇〇%が失業する可能性もないとはいえない。「創造的」な仕事もロボットがすることになれば、人類は完全に自由になるが、しかし完全に無収入にもなる。そうなれば消費は皆無になるから、ロボットの従事する生産も無意味になってしまう。どうしても無人企業が生みだす収益を適切に分配し、余暇を楽しむ全人類を生活させる一種の共産主義が必要となる。

ところが従来の共産主義が夢にすぎず、その過程の社会主義的分配が強権と官僚主義を招くことを、人類はすでに学んでしまった。この弊を避ける知恵を現在の人間は持たないから、ここでも新しい深遠な英知を将来の人工知能に期待するほかはあるまい。

不老不死が生む傲慢な世界

「創造的」な仕事を含むすべての仕事をロボットが行い、全人類が余暇を楽しむ夢のような社会は、果たして実現可能だろうか。その場合、ロボットが生みだした収益の配分も人工知能に頼ることになる。要するに平等や公正といった価値観も人工知能に育ててもらうわけだが、そうなると問題は一段と次元を異にする困難を露呈するだろう。

いくら人工知能に自由に考えてもらうといっても、その思考の出発点となる資料は現代の人類が入れるほかはなく、入れる内容は現代の価値観しかないという現実がある。人工とはいえ、知能は知能だから無から考え始めるわけにはいかず、必ず思想史上の過去に縛られ、助けも受ける。その縛りが二十一世紀前半の価値観であり、現時点までの思想の伝統であるとすれば、これは現代が未来を制約し、歴史を凍結することを意味する。

もちろん生きた人間も歴史の制約を受ける存在であり、どんな個人も幼少期に植えつけられた価値観を信じ、若干の修整を加えながらも終生、それを引きずって生きてゆく。しかし反面、人間には死という冷厳な宿命があって、この断絶のおかげで人類全体は歴史の変化に順応することができる。特定の時代の価値観がいかに頑固であっても、それを信奉する世代が死ねば、後の歴史は格別の争いを起こすことなく自然に変わっていける。

もはや念を押すまでもあるまいが、人工知能にはこの死という断絶がなく、一時代の価値観を根底に抱いたまま永遠に生きるということが問題なのである。ちなみに面白い事実だが、人工知能の賛美者には不老不死を憧れる人が多く、むしろ逆に不老不死を実現するために人工知能を求める論者が目立つ。

前に本欄でも紹介したレイ・カーツワイルが典型的だが、彼の『不連続点は近い』（邦訳『ポスト・ヒューマン誕生』）もこの夢を論じて、そのために「非生物的人間」の創造を主張していた。方法は二つあり、身体に微細ロボット（ナノボット）を注入して機械化するか、あるいは個人の全精神能力を知能ロボットに移管するかのどちらかだという。いずれにせよ、造られた非生物的人間は個人として永遠に生きるわけで、世代交代もなくなり歴史は凍結状態に入ることになる。

語るに落ちる笑い話だが、カーツワイルは迂闊《うかつ》にも自分の非生物的分身を造るにあたって、消化器官は要らないが皮膚は残したいと洩《も》らしている。後者は性の快楽に必要だからというのだが、わかるのは彼が食欲より性欲に価値を感じているという事実だろう。ここでは未来の価値観が現代の制約を受けるどころか、危うく一人の男の私的な価値観によって決定されようとしているといえる。

振り返って人類の歴史を見れば、そもそも価値の文明史はその内部に個人の死と世代交代を含み、伝承の流れに随時の断絶があればこそ発展してきた。断絶なくただ続くのは惰性的な因習であって、真の文化伝統は過去と現在の緊張した対決を内に孕《はら》む。

文化伝統には古典と呼ばれる今はなき価値があり、時間を隔てた継承者がそれを懸命に習得することで蘇《よみがえ》る。この死と蘇生のリズムが文明史を造り、その根底には生物的人間の生のリズムがあった。それを失った非生物的な文明はどんな姿を見せるのだろうか。

たぶん死の恐怖のない個人は傲慢になり、知的能力を無限に拡張しながら、他の非生物的個人と競争を重ね、しばしば抗争を繰り返すだろう。その人数も無限に増えるはずだから、資源と環境の制約が解決されても、その居場所は宇宙にまで溢れるだろう。

だが忘れてはならないのは、数千億光年のこの宇宙にも法則があり、それは無数の星を生んでは滅ぼす生命的リズムだということである。

言うまでもなく、人工知能の技術は有用、不可欠である。だが、それを研究し、それについて論じる人はもっと足を地につけたほうがよい。早い話が、完全自動運転車の開発に各社が狂奔しているなかで、老人運転者がアクセルとブレーキを踏み誤るといった、現存の技術で対応できる事故を防ぐ車がまだ普及していないのである。

〔『読売新聞』二〇一七年二月二十六日「地球を読む」〕

庶民と民主主義

政治への感情は繊細で複雑

今回の東京都議会選挙を見て、あらためて民主政治の不思議さを痛感したのは、私だけだろうか。小池知事の新政党が躍進を遂げ、第一党の自民党が敗北を喫したという結果を言うのではない。本来、都政の選挙で問われるべきことが問われず、国政の争点であるべきことが明暗を分けた点が面白いのである。

選挙前、最大の問題だった築地市場の豊洲移転、あれほど騒がれた新市場の衛生問題はどうなったのだろうか。新しい科学調査が行われて、豊洲の地下土壌は安全だという結論が出たとは聞かない。汚染問題を憂慮していた小池知事は、選挙告示の直前になって心配を忘れたらしく、築地市場の再開発という全く無関係な解決策を示して、移転の決断を発表してしまった。

にもかかわらず、このことは選挙の論争にはつながらず、むしろ選挙民の心情には、「籠池問題」「加計問題」など、政府首脳をめぐる疑惑が影を落としていたという。たしかに直近の世論調査を見ても、この問題に関する政府与党の対応には、釈然としていない人が多いのは事実らしい。

疑惑を追及する反対勢力も都議選に勝ったわけではなく、自民党よりも酷《ひど》い凋落《ちょうらく》傾向を見せた野党もあったのだから、事態はさほど簡単ではあるまい。おそらく選挙民の庶民感情には与野党双方を含めて、前国会での不毛な抗争、「印象操作」とそれを一蹴《いっしゅう》する答弁、首相自身が認める粗雑な国会運営に、お灸《きゅう》を据えたい気分が溜《た》まっていたのではないか。

いずれにせよ、小池新党の勝利は理屈では筋の通らない現象だが、政治をめぐる庶民感情とはそういうものなのである。

私を含めて政治の素人は、二十四時間、政治を意識し続けているわけでなく、個々の政治選択について定見を持っているわけでもない。各種の世論調査の回答からもわかることだが、ある政策に関する絶対賛成も反対も一〇%ほどで、「どちらかといえば」賛成、反対が四〇%前後、ときには「わからない」が半数近くを占めたりする。

かといって、これは民衆が政治に鈍感だったり無関心だったりするからではなく、逆に繊細で複雑な感想を持っているからである場合が多い。

問題は世論調査であれ政治投票であれ、民衆への問いかけが常に択一形式をとることによるところが大きい。世論調査はイエスかノーかのかたちをとるし、日本の間接民主主義のもとでも、選挙民は一党か一候補を選ぶように迫られる。政治的な態度表明に中間はなく、「どちらかといえば」を許さないのが民主政治の制度なのである。

二者択一を強要する国民投票は危険

民主社会の自由な主権者は、常に自分の感情の一部を切り捨て、不満を残しながら意思決定を下す宿命のもとにある。健全な先進国ではいかに安定した政権でも、支持率調査をしてみると五〇%をあまり超えないのは、たぶんこのせいなのだろう。国民が完全に幸福だったり、愛国心に燃えていたりするのは、独裁政治の兆候だといえる。

さらに現代政治には、税負担と福祉の充実、自由貿易と失業の増大、環境保護と原子力の脅威など、互いに矛盾する課題が多いから、どんな政策が採用されても国民の割り切れない感情は増える一方である。すでに失う物を持った先進国民は変革に慎重であり、矛盾の打開にも過激を避けがちだが、それだけに隠然たる焦燥はますます強まるほかはない。それがあるときふとした機会を得ると、突然、意外な現状変更の嵐を起こすのである。

米国のトランプ大統領の勝利、まさかと思われた英国のEU（欧州連合）離脱も、そう考えると共通の特色を帯びていたように思われる。どちらも投票した国民自身を驚かせ、識者の原因説明もいまだに困惑の色を見せている。移民の急増による失業問題など、一応の説明はつけてみても、政治的変化の過激さはそれだけでは尽くせない原因を感じさせる。真相はナショナリズムの擡頭《たいとう》などではなく、一度いっさいをご破算にしたいという、鬱積《うっせき》した気分が臨界点に達したのではなかっただろうか。

ちなみに面白いのは仏国の例であって、ここでは大統領選挙でナショナリズムが敗北したが、同時に旧来の左派、右派政党も凋落《ちょうらく》した。勝ったマクロン大統領の新党が議会をも制圧したが、これは明らかに都議会選挙での小池新党の勝利に似ているのである。

振り返れば日本でも、過去に政治の一大改革を巻き起こす選挙があった。細川政権の成立と鳩山民主党の大勝がそれであって、いずれも民意は現状の変更それ自体にあったように見えた。新しい具体的な国策を求めるというより、長く続きすぎた自民党の統治に倦《う》んで、とにかくすべてを変えてみたいという、憂さ晴らしに似た気分が国を動かしたという観があった。

今のところ小池新党が国政の場で、現状の自公連立政権を倒すという気配は感じられない。だが、現代では政治的安定と現状変更は背中合わせにあって、一見、満足に見える民意の不満が構造的に隠れていることを、政権担当者は覚悟しておいたほうがよい。

もう一つ注意すべきは、国民に二者択一の選択を強要することの危険であり、とりわけ直接の回答を問う国民投票を求めることとの危険である。さしずめ日程に上りそうなのが憲法改正の投票だが、この場合、心配されるのはトランプ旋風のような現状変更の嵐ではない。むしろさかさまに、国民が自己の複雑で微妙な感情に忠実になりすぎ、大雑把な二者択一の要求を拒否することである。

例えば九条に一項を加えて自衛隊の現状を追認するにしても、国民投票にかける条文案をどうすればよいのだろうか。仮に「最小限度の専守防衛力を保持する」と書いたところで、この問題に長くなじんできた庶民感情はたぶん満足しない。防衛費の対ＧＤＰ（国内総生産）一％を明記せよという意見が出たり、逆に有事には必要なだけ防衛費を調達できるようにせよとか、専守防衛に策源地攻撃を含めよという意見が現れる可能性は十分にある。

そして政府案への賛否を問う二者択一の投票では、この両極の異見の持ち主が一致して原案に反対票を投じるのである。これはあまりにも不条理な事態だから、政府はあらかじめ「国民投票法」を改正して、国民が大筋で一致できる意見表明の方法を考えておくべきだろう。まったく面倒な話だが、これも民主主義の支払うべき代償の一つなのである。

〔『読売新聞』二〇一七年七月三十日「地球を読む」〕

「知的中層社会」は崩壊するのか

断絶を避け抜いた情報文化

昭和二十年（一九四五年）、敗戦が玉音放送によって訪れたことは、象徴的であった。戦災の阿《あ》鼻《び》叫喚《きょうかん》のなかで、ラジオ放送は一日の中断もなく続けられたのである。それをいえば新聞も自発的には休刊をせず、学校も制度的には休校期間を設けなかった。日本の情報文化は、戦前から戦中にかけて甚大な被害を受け、過ちを犯しながらも、ともかくも敗戦による断絶を不思議に避け抜いたのであった。

それだけではなく戦後一年もすると、廃虚の町には本が溢れ始めた。生活に困った知恵人が蔵書を闇市に流したせいもあったが、焼け残った出版社が新刊や在庫本を世に出したのである。戦時中に弾圧された総合雑誌の復刊も早かったし、新雑誌創刊も盛んで、読者も飢えたように活字に群がった。

私は満洲からの引き揚げ者だから、敗戦直後を直接には知らないが、帰国後に感じた日本人の情報文化への愛着はたくましさを極めていた。たとえば映画だが、これも復興数年もすると完全に生気を取り戻していた。戦前に輸入され、戦中は隠匿されていたフランス映画が解禁され、私は京都の名画座で終日その数本に見入ったことを覚えている。

この話からもわかるように、日本の戦後文化は戦前文化を復習しそれを思い出すところから始まった。本も戦前の岩波文庫や新潮文庫が中心だったし、雑誌も『中央公論』や『文藝春秋』が先陣を切った。人びとは一面で新時代の到来を祝いながら、それ以上に古き良き日の再来を懐かしんだのである。実際、その良き日は遠い昔ではなく、ほぼ十年前までは普通の日本人が体験していた現実であった。

人びとを勇気づけた古き良き日

私の見方では、その時代は大正七年（一九一八年）の暮れに始まる。この年、大学令、高等学校令が改正され、多くの専門学校が大学に昇格し、地名を冠した新しい高校が各地に創設された。数年後にはその卒業生が世に出たわけで、昭和初期には大学卒の知識人が社会に溢れることになった。

これは多数の知的失業者をも生むことになり、「大学は出たけれど」の嘆きの声も聞かれたが、一般に日本社会の知識水準を画期的に高めたことは疑いない。このころ岩波文庫と『文藝春秋』が相次いで創刊され、発行部数百万部の新聞が生まれたことは、偶然ではあるまい。大卒者の就職も次第に広がり、十年後にはほとんど問題は解消した。

知識人の増加は生活スタイルの変化ももたらし、コーヒーやウィスキーを飲む習慣が広まったり、応接間という名の洋間を持つ住宅が普及したりした。上下水道、電気、ガスといった社会インフラも整備され、都市部の生活は先進国の仲間入りを遂げていた。

この傾向は軍国主義化と対立しながら、昭和十二年（一九三七年）ごろまで続いたとみられるが、私はこの時代の記憶が戦後復興に大きく貢献したと考えている。廃墟のなかの人びとはただの困窮者ではなく、帰るべき本来の良き日のイメージを鮮明に持っていたのである。具体的な目標のイメージは、単純な窮乏感や政治的なスローガンよりも人を勇気づける。

日本近代のこの文化状況を、私は「知的中層社会」と呼びたいと思っている。頂点はあまり高くないが、底辺は広く厚く、知的な階層分裂の少ない社会である。端的な証拠が新聞であって、欧米とは違って、日本の日刊紙にはいわゆる高級紙と大衆紙との区別がない。ニューヨーク・タイムズもルモンドもない代わりに、そこそこに程度の高い記事を国民すべてがひとしく読んでいるのである。

この知的中層社会をさらに強めるために、日本は戦後も国を挙げて努力してきた。義務教育年限の六年から九年への延長、新かな、漢字制限といった国語表記の簡易化は、国民の読書能力を大いに助けたに違いない。たぶん現在、識字率の高さでは日本は世界的に抜群の地位にいるはずである。

活字衰退の兆候が案じられる

ところが戦後も七十年余りたった今日、あの大戦さえ壊せなかった文化伝統に亀裂が生じる気配がする。新聞も雑誌も書籍も、およそ活字による情報媒体に衰退の兆候が見えるからである。その原因は電子媒体の洪水にあって人びとが読書よりもゲームに耽《ふけ》り、文字は電子画面の極度に短い文章しか読まなくなったせいだといわれる。

ソーシャル・ネットワーキング・サービス（SNS）の普及で世間に無署名の情報が溢れ、編集という多様な情報を総合し、その発信の責任をとる仕組みが衰える危険がある。人びとの知的関心の世界が狭くなって、自分の知りたいことしか知ろうとしない傾向も強まるだろう。

何よりも文字を読む人と読まない人が分裂し、日本が知的な階層社会に陥る危険があるとすれば、これはあの敗戦の悲劇を生き延びた文化にとって、あまりにももったいないのではないだろうか。

〔『産経新聞』二〇一七年八月十六日「正論」〕

学ぶ意欲・能力

高等教育無償化は愚策

「意欲と能力がありながら、家庭の経済的事情で進学を断念する若者を可能な限り減らしたい」。読売新聞、本年十月十五日の社説の冒頭の一節である。内容は、いま話題の高等教育無償化について論じたものだが、問題の本質はこの最初の一行で尽きている。

義務教育を終え、高校、大学へ進む最大の資格は本人の「意欲と能力」なのだが、不思議なことに、かねて文教政策の論議のなかにこの一句を聞いたことがない。先の総選挙でも、各党が高等教育進学の公費援助を約束したものの、その受益対象者はもっぱら貧しい若者というだけにとどまり、当の若者が進学意欲に燃えているかどうかを問題にする声はなかった。

一方、現実の高校、大学を見ると、どちらも学問にあまり興味はなく、世間の空気に乗せられて進学する若者が少なくないような気がする。「みんなが行くから」「親が勧めるから」という理由で進学し、在学中はアルバイトとゲームに没頭したうえ、単位だけをとると就職活動に奔走する学生も例外とは言えなさそうである。

そういう実情を憂えてかどうか、昨今の高等教育無償化論には反対する人も多い。本年八月号の『文藝春秋』誌にも、中室牧子氏の「教育無償化は格差を広げる愚策だ」という一文が載った。論旨は明快で、国家の全体的な教育費増強には賛成しながら、しかしそれを高等教育に振り向けるのは、格差是正の観点からむしろ逆効果を招くという意見である。

中室氏が着目するのも学業への意欲の問題だが、これを養うには高等教育段階を待ってはすでに遅いという。勉強が好きになるかどうかは幼児期に決まるものだから、義務教育期とそれ以前の家庭教育が決定的に重要である。ところが低所得の家庭では親に心身の余裕が乏しく、子供の学業奨励がおろそかにされがちになる。貧しい家庭の子供たちは生まれつき、学業上の向上心を奪われている。

この状況で高等教育を無償化すれば、恩恵をこうむるのは豊かに育った若者に偏り、真に援助されるべき貧しい若者は取り残されるに違いない。それでは貧富の格差は拡大される一方だから、国家予算は義務教育とその前の幼児教育に傾注し、学業意欲の平等な育成を図るべきだと、中室氏は声を大にする。

アメリカでの研究を基礎にした主張だが、常識で考えてもこれは正鵠《せいこく》を射た説だと思われる。意欲は第二の本能に近いものだから、幼少期に習慣として身についた性向が強いのは当然だろう。その意味で私はこの意見に大いに賛同するものである。

急ぐべきは義務教育の改善

高等教育の無償化は貧富の格差を広げる、との中室氏の主張は傾聴に値する。だが、同時にもし若者の意欲を問題にし、それをめぐる社会的な公正を考えるのなら、これとは全く異なった観点もありうることを指摘しておきたい。

それは格差の問題とは関係なく、一般に若者の生きる意欲は多様であって、みずからの抱負にしたがって進んで高等教育とは別の道を歩む青年もいる、という事実である。

農業、漁業、林業などの一次産業、陶藝、染色、木工といった伝統産業、さらに金属へら絞りのような軽工業の分野には、そうした優秀な若者がおびただしくいる。日本はこれらの産業で世界に冠たる水準を誇るのだが、そこで働く初心者は技術を習い、仕事にまつわる知識と倫理を学び、大学生に匹敵する研鑽《けんさん》をおこなっている。にもかかわらず彼らは国の教育助成を受けられないばかりか、勤労者として所得税を払っているのである。

この重大な不公正、不平等が広く認識されれば、世間にはさまざまな救済策が現れるだろう。その一つとして、あるいは高等教育機関をますます拡大し、彼らも夜間学生として受け入れようという意見が出るかもしれない。仕事に関係のない一般教養は大切だから、それを与えるために全国民を大学卒業者にしようという考え方である。

だがこれは私が何より恐れる暴論であり、現行の義務教育の理念も内容も知らない素人論議にすぎない。そもそも国民共通の教養は義務教育が提供すべきものであって、国民統合のために国家が保証すべきものである。基礎的な教養が共通でなければ社会は分裂するから、国家は統治行為として教育を行うほかはなく、だからこそ義務教育の普及は国家と国民双方の義務とされるのである。

しかも日本の義務教育の内容はきわめて水準が高く、もしこれを完全に習得すれば社会人の教養として十分以上と言わなければならない。一例だけを挙げれば、数学にオイラーの公式という極度に難解な数式があって、これを証明するには、高等数学によるのが普通なのだが、理論物理学者の大栗博司氏はそれを中学で習う数学だけで証明して見せているのである（『大栗先生の超弦理論入門』）。

はなはだ残念なことに、しかしこの高水準の義務教育は現場では実現していない。かねて述べてきたように、日本の小、中学校には卒業試験も留年制度もないからである。授業内容の半分も理解していない生徒でも、そのまま上級学校に進学でき、そこでもまた無学をとがめられない。分数の足し算すらできない大学生がいるのが実情であって、日本は「高学歴低学力」社会に陥ろうとしている。

急ぐべきは、まずこうした現状を改善することであり、小、中学校の教員の数を増やし、より充実した授業を課したうえで、全国一律の卒業試験を実施すべきだろう。

もちろんこの新しい義務教育を世間が尊敬し、大企業が中学卒業者を採用し、大学卒と同等に扱うといった、社会気風の転換も必須と言わねばならない。

そのうえでなお高度の専門教育を受けたい若者がいるなら、その意欲と能力の厳正な審査を条件に、授業料のみならず生活費も支援すべきである。いわばこれは学問を職業と見なすことにほかならず、当然、受益学生の側にも伝統工藝や軽工業の職人と同じく、職業倫理の順守を求めるべきだろう。怠ければ除外され、精進すれば賞与を与えられるといった制度設計が必要かもしれない。

だが学問を職業と見なすと言えば、現在の日本にはこれよりはるかに喫緊の大問題がある。すでに大学院も修了して研究現場に立ちながら、臨時採用の身分で将来の不安な若い学者があふれているのである。学問への意欲も能力も完全に証明された、これらの人材を放置したままで、高等教育無償化を説くことは不謹慎と言っても過言ではないだろう。

〔『読売新聞』二〇一七年十二月三日「地球を読む」〕

「平成」最後の一年を迎えて思う

今年は、平成という一時代の終わりを準備する一年となる。国民としては感慨深い一年だが、天皇陛下ご自身にとってはどうなのだろう。来年の四月末までに、まだいくつか最後のご公務が残っているわけだが、その折々に触れて、何か特別のお気持ちを滲《にじ》ませられることはあるのだろうか。

国民に教えた「象徴天皇」の存在

今回の譲位が国民に教えたことは、「象徴天皇」というものがどういう存在かを考え、それを生きて見せられたのは、天皇陛下お一人だったという事実である。

憲法は無責任に天皇陛下を国民統合の象徴と位置づけただけで、人間が象徴として生きるとはどういうことかを考えていない。人間には何かをする義務と権利があるはずだが、その具体的な内容と範囲はもちろん、そのやめ方すらご自身の叡断《えいだん》に任せてきた。

どんな日常を過ごし、何をご公務として選ばれ、どのようなお言葉を国民に下さるかは、すべて天皇陛下ご自身が身をもって創造されてきた。そのことは昭和天皇と今上陛下のお振る舞いの違い、お言葉の文体の違いを見てもわかる。天皇が人間であることを宣言されたのは先帝だが、それを実現して国民との距離を一段と縮められたのは今上陛下である。

大きく分けて、天皇陛下がご公務の柱として選ばれたのは二つあって、一つは自然災害の被災者の慰問、もう一つは先の大戦の殉難者の慰霊であった。いずれも国民の心の痛みを共有しようというお気持ちの表れだが、その深さは尋常ではなかった。災害避難所では床に膝をついて被災者と話されたし、戦災死者の慰霊のためには遠くサイパン島まで行幸された。しかも、そうしたご公務の遂行に際してもお心配りは細やかで、政治介入を注意深く避けられていた。

テレビで窺《うかが》い知った限りだが、天皇陛下は被災地での人々の健康や損失についてはお尋ねになっても、避難所の処遇や暮らし心地に関するご質問は滅多《めった》になさらない。おそらくそれを尋ねれば、運営する自治体の評価が問われることになるから、意識してそういう間接の行政介入をも避けておられるものと、拝察されるのである。

格段に厳しい皇室の自己規制

これだけの叡慮を尽くして三十年を経れば、人間たるもの加齢とともに体力の限界に達するのは当然である。そのときにご公務の量を減らすことは考えず、自ら課した義務を不動のものとする信念のもとに、それを果たせなければ地位を辞すと聖断されたのは、恐れながら天皇陛下の自《じ》侍《じ》の念の表れと理解すべきだろう。幸いにも国民がそのご信念に恐懼《きょうく》して、若干の異論はあったものの、譲位をお認めしたのは賢明な判断であった。

今後、国民の関心の的となるのは「上皇」となられた後のお振る舞い、そして新しい天皇陛下との役割分担のかたちだろう。だが、今となっては、この件に関しては新旧の両天皇陛下に全面的にお任せするしかないと思う。

戦後七十年、「人間象徴」という至難の生き方を独力で模索し、威厳と親愛の絶妙の均衡を見いだしてこられたのは、皇室ご一族のほかにはないからである。国民としては今回の譲位のときと同じく、静かにそして最大限にそのご意向を受け入れるべきだろう。

それにつけて感じるのは、他の民主主義国家の王室と比べて、日本の皇室の格段に厳しい自己規制のお姿である。「君臨すれども統治せず」の原則は同じだが、欧州諸国の王族にははるかに大きい自由が許されている。英国の王室などは、皇太子に離婚と再婚の自由が認められたのである。

改元を機に本質的な議論を

一方、日本では天皇陛下ご自身の譲位のお望みを表明される際にすら、それが政治介入に触れることを恐れて、「お気持ちを滲ませる」お言葉を下されるしかなかった。これはあまりにも過酷な制約ではなかろうか。

次の天皇、皇后両陛下はそのご経歴からみて、世界との接触、国際親善にいっそうのお力を注がれることが予想される。皇室はこれまで以上に外国人の視線を浴びることになるはずだが、そのなかでこの極端なご不自由はどんな評価を招くだろうか。三笠宮さまは、講義や出版という自己表現の機会を持たれ、庶民との社交ダンスさえ楽しまれたと聞くが、次代の天皇陛下、皇太子殿下にはせめてその幾分かの自由はお認めすべきだと思う。

もっとも、こういうことは皇室の私的なお暮らしの問題だから、国民がそのいちいちに口を出すべきことがらではあるまい。もしこの改元を機会に政治家やマスコミが論ずべきことがあるとすれば、もっと本質的な問題だろう。

いったい人間天皇には基本的な人権があるのかどうか。ないとすればその憲法上の根拠は何か、あるとすればその人権はどこまでの範囲で、どのような法的理由から制限できるのかという、法哲学的な問題である。


〔『産経新聞』二〇一八年一月四日「正論」〕

日本の針路

「慎ましい大国」への転身

二〇一八年も半ば、今年の話題は日本国内では新天皇時代の地道な幕開け、国際的には空騒ぎの米朝首脳会談になりそうな気配がする。およそかけ離れた二つのできごとだが、両者の報道を聞いているうちに、私の胸には一つのまとまった主題が浮かんできた。現代の国家はどうあるべきか、どんな国が良い国かという、いささかとっぴな疑問である。

それを思うきっかけとなったのは、後者の主役を演じたトランプ米大統領と金正恩朝鮮労働党委員長が、滑稽なほどよく似ているという印象だった。どちらも力の信奉者で自己顕示欲の塊、自国を「偉大にする」と叫ぶ点でうり二つである。それぞれが代表する国家も、実力は桁違いながら外に向かって独善的であり、国民もかなりそれに追随している点では、似ていると言えなくもない。

世界を見回すと、このタイプの指導者はかなり少なくなったが、それでも中国の習近平国家主席、ロシアのプーチン大統領と、日本の隣には超大国の大どころが控えている。彼らの国は国土も巨大で武力も強く、外に対して常に拡張しようと身構えている。経済面では近年のロシアは窮迫しているものの、資源を含めた潜在力はしたたかだし、中国はここ長らく、世界第二の経済大国としてあたりを睥睨《へいげい》している観がある。

これに北朝鮮を加えれば、北東アジアのほぼ全体が「偉大な国家」に占められ、日本はその縁でいやがうえにも小さくならざるをえない。実際、日本は小さくなってきたし、防衛でも外交でも、戦後半世紀にわたって低姿勢を貫いてきた。何より国民の意識のうえで、日本は「偉大さ」を誇りとせず、めざそうともしないという点で際立つ国なのである。

そこで思い合わされるのが平成の終了であり、それに先だって天皇陛下がきわめて淡々と、ご自身の老いと疲れを暗に自認されたうえで退位されることである。一国の最高権威がいささかの虚栄も張らず、人間として自然体で振る舞われたことは、この国の姿にとって象徴的であった。

国民が自国を偉大だと自覚せず、偉大さを目標としないからといって、現在の日本がつまらない国であるわけではない。戦後半世紀の平和を守り、選挙で選ばれた安定した政府を持ち、経済的には世界三位につけているうえ、失業率は主要先進国で最低、賃金もアジア最高レベルを誇る。

これらの美点について国民も十分に自覚しているようで、近年の世論調査によれば、現在の生活に「満足している、まあ満足している」が過半を占めている。

格差是正に国家百年の税制改革計画を

思えば日本も昔は違っていた。第二次大戦前の国民は国の偉大さを目標とし、それと裏腹に現実生活への不満を黙って押し殺していた。戦後も高度経済成長の一時期、現実には長時間重労働に苦しみながら、エズラ・ボーゲル氏の「ジャパン・アズ・ナンバーワン」などという麗句に浮かされて、国の偉大さを誇る人が一部に現れたりもした。

だが今やすべての幻想は覚め果て、賢明な日本人は自国を堅実な普通の国、もっといえば「慎《つつ》ましい大国」として建てようと考えているようである。この数年、人口減少や高度高齢化、資源枯渇、環境悪化を憂え、もはや経済成長は諦めて「定常型社会」をめざそうと提案する本が、何冊も出版された。昨年も佐伯啓思氏の『経済成長主義への訣別《けつべつ》』という本が出たが、著者によれば日本の隘路《あいろ》はもう一つあり、グローバル化によって生産拠点が賃金の安い海外に奪い取られていくことだという。

これらの見解はすべて説得力があるが、これまで成長によって問題を解決できると信じてきた日本にとっては、それとの訣別はかなりの困難ももたらすだろう。現代最大の問題と言うべき経済格差の拡大を、この幻想なしに回避することは至難の業だからである。

経済格差は単なる経済問題だけではなく、拡大すれば人間の尊厳にかかわる倫理問題である。その差を生むのは個人の才能や努力だけではなく、社会の慣習や制度のあずかるところが大きい。そして銘記すべきは、このグローバル化の時代にあって、格差の縮小に取り組めるのは国家という制度、その強制力のほかにはありえないのである。

ちなみに格差の現状では日本はまだましな方であって、米国や中国は天文学的な数字を示していると伝えられる。だが、これら「偉大な国」の場合は、しばらく問題を回避することも隠蔽《いんぺい》することも、比較的たやすいといえる。

たとえばトランプ政権の米国なら、他国との二国間交渉で交易条件を有利に定めて、輸入を減らして輸出を増やし、外国資本の導入を強要することで経済の「パイ」を大きくしうる。パイが大きくなれば「したたり効果」が起こり、格差は自然に緩和されるというのは実は迷信であるが、米国は少なくとも国民にそれを信じさせることができるだろう。

他方、中国はグローバル化を悪用し、周辺諸国に投資や見せかけの援助をおこない、自国企業と労働者を輸出してこれまたパイの拡大に余念がない。援助はほとんど紐《ひも》つきであって、途上国が借款を返せなければ苛烈な誅求《ちゅうきゅう》が待っている。国土そのものや統治権限の一部が事実上、借款の抵当となり、軍事基地の建設などを通じて同盟関係の締結さえ強要される。

そのうえ中国の場合は、パイ拡大の幻想で国民の安心を買うだけでなく、言論統制によってより直接的に格差問題をめぐる国民の不満を抑制できる。それを言えば北朝鮮はかねて「偉大な国」の極致にあるから、格差問題などはじめから存在しないのである。

これに対して日本のような国の場合、他国を圧迫してパイ拡大を図ることも、まして言論を統制して国民の不満を抑えることもできない。この国には、実直に格差の縮小に取り組み、平等化を実現して社会の分裂を防ぐほか道はない。その方法も奇手妙手はなく、どう考えても伝統的な所得再配分しか見あたらない。

現状は逆であって、戦後の所得税の高度累進制が弱められ、消費税導入による逆進性さえ指摘される。そろそろ政府は、かつての高度累進課税の復活をも含めて、国家百年の税制改革計画を考えるときではないだろうか。

〔『読売新聞』二〇一八年六月十七日「地球を読む」〕

日欧ＥＰＡ

価値観の共有が連帯の道を開く

多年の曲折を経て、ついに日本と欧州連合（ＥＵ）の経済連携協定（ＥＰＡ）が調印された。双方は関税を撤廃・削減して市場を開放し、トランプ政権の米国を尻目に、自由貿易の旗を高く掲げたことになる。

両者を合わせると、世界の国内総生産（ＧＤＰ）の三〇％を占めるというから、それだけでも経済的な快挙だが、この協定の歴史的意義は経済に限られるものではない。日本も欧州も人権、民主主義という基本的価値観を共有し、国民の教育と学術の水準、それに基づく知的財産の生産能力の高さで群を抜く。さらにおのおの千年を超える伝統文化を背負って、品格ある社会を擁しているのである。

中間に中国、ロシア、イスラム諸国という異質の文明圏を挟んで、ユーラシア大陸の両端に位置する同質の文明世界が手を結んだ。近代文明を生んだ諸国と、それが人種を超えた人類共通の財産であることを立証した国が力を合わせる。文字通り、太平洋と大西洋が一つになる道が開かれたと言ってもよいだろう。

その太平洋と大西洋は、それぞれ当面の困難をしのぎつつある。難民問題に揺れ、英国の離脱で危機に瀕《ひん》したEUは、フランスのマクロン政権の誕生で離脱が雪崩を打つ心配は遠のいた。メイ英首相の「穏健な離脱」が成功するかどうかは不明だが、離脱交渉にあたるEUの立場は強まるに違いない。加えて日本との新連携協定はEUの魅力を増すのに役立つだろう。

太平洋の側では、トランプ大統領の短慮で環太平洋経済連携協定（TPP）が打撃を受けたが、日本や豪州など十一か国による協定が調印され、発効しようとしている。新たにタイが参加を表明し、面白いことに、EUを離脱する英国が興味を示しているという。

太平洋に近づく欧州国家は英国だけでなく、主に国防上の動機からだが、フランスも意欲を見せている。マクロン政権の提案により、日仏間の防衛協力「海洋対話」が創設され、海上自衛隊と仏海軍の合同訓練、エネルギー資源の共同開発などが計画されている。中国の軍事的な海洋進出を防ぐうえで、欧州の力を借りるのは斬新な発想だと言えるかもしれない。

ところで日欧の連携がここまで強化された今、避けがたい問題は、両者をつなぐ政治・経済的な連絡通路の確保だろう。これについては、つとに中国が露骨な意欲を示し、「一帯一路」の名のもとに圧倒的な支配をめざしている。もちろん中国本土の鉄道建設に反対する理由はないが、もしこれが習近平政権が夢見る通り、インド洋の制圧、日欧の交流通路の独占に及ぶなら事態は深刻である。

巨大連携へ向け存在感を増すインド

日本と欧州をつなぐ連絡通路の確保について考えたとき、おのずと頭に浮かぶのは、これまで人口でも版図《はんと》でも強大な潜在力を秘めながら、外交的にはいわば眠れる獅子だったインドという大国の存在である。しかも、おりしもそのインドがやおら目覚め、外交大国への一歩を踏み出そうとしているというのである。

雑誌『アステイオン』の第88号に、インド人政治学者ヴィヴェク・プラダン氏の興味深い原稿が載っている。これによると、画期的な変化は、やはりあのナレンドラ・モディ首相の登場とともに始まったらしい。首相はインド政治史上初めて、外交政策を内政と同等の重要課題に引き上げたと、筆者は言う。

モディ氏はまず基本外交政策の決定権を外務省から首相府に移し、みずからが国際関係の構築に主導権を取ることにした。また従来の自国外交の視野が狭く、パキスタンとヒマラヤ高原に執着しすぎていたのを改め、優先順位三位のインド洋の重視へと舵《かじ》を切った。こうしてあの「アクト・イースト」政策が生まれ、日本や東南アジアなどとの広域提携をめざす外交姿勢が定まったのだった。

もちろんモディ氏にとって最重要なのは自国の開発、経済発展だから、中国との関係を避けることはできない。報じられたように首相はこの六月、中国主導のアジアインフラ投資銀行の総会をムンバイに招き、その融資を活用することを約束した。こうした協力は今後も続くだろうが、プラダン氏も言うように、国家の根底を支えるのはあくまでも価値観であり、歴史伝統である。

そして氏によれば、モディ氏が人権と民主主義の擁護者であるのは、ネルー初代首相の精神を強く継承しているからだが、国父というべきそのネルー氏はなんと、自己の文明伝統の原点を紀元前三世紀の聖賢「アショーカ王」に見ていた、というのである。

日欧を凌駕《りょうが》しかねない文明を誇り、それを基盤に日欧と同じ価値観を共有するこの大国の存在を日本が真剣に意識し始めたのは近年のことのように思われる。安倍政権が「環太平洋」と並んで、「インド太平洋」という政治理念と外交戦略を掲げ、米国がそれに追随するきっかけを作ったのは記憶に新しい。

インドと日米が呼応して相互を見直し、画期的な同盟関係が芽生えつつあるのは喜ばしいが、懸念すべき課題がないわけではない。日本の努力が多面的なのに対して、米国の関心は戦闘機の輸出、「マラバール」と称する米印海軍の共同演習の推進など、従来の軍事的な協力に傾いたままになっている。

対照的に日本のインド洋開発は広範にわたる。ミャンマー、スリランカ、バングラデシュに港湾を整備し、地域の貿易振興を図るのを始めとして、インド国内への資金、技術援助にも行き届いた配慮を示している。印象的なのは、インドの交通事故急増への対処として、ニューデリーに救急センターを新設し、日本の外科医を派遣して手術の技術を移転しようという計画である。いかにも日本らしい、きめ細かい援助だと評価できるだろう。

声を大にして主張したいのは、日本がこの政策を強力に継続すること、その際、その意味について遠大な想像の視野を保つことである。それはインド太平洋を一筋の巨大な連帯の道、日米に起点を持ち、欧州を終点とする同盟の通路を描くことにほかならない。

この道の上には東南アジア諸国や豪州もあるが、これらの国はどの一つとして、第二次大戦の日本をもはや敵として責めていない。北東アジアの日本外交はとかく「歴史問題」の翳《かげ》りを受け、「未来志向」を求めながらどこか居心地悪い思いを拭えないでいる。新しい連帯の道にはこの躓《つまず》きの石がなく、純粋な未来志向を貫けることが期待できるのである。

〔『読売新聞』二〇一八年九月三十日「地球を読む」〕

二〇二五年大阪万博

「見せる」会場を未来の遺産に

二〇二五年、国際博覧会が大阪で開催されることが決まった。アジア初の一九七〇年大阪万博から半世紀余、大阪では二度目の大規模な国際交易の祭典である。博覧会国際事務局の総会で大半の支持を受け、日本が信頼を集めたわけだから、まずはめでたいというべきだろう。

だがいざ開催の実現をめざしてみると、直ちに目につく二つの困難があって、気楽に祝ってばかりはいられないことがわかる。第一は万博をめぐる国内世論の冷え込みであり、第二にはもっと大きく、文明的な環境に不利な変化が見られることである。

国内世論についていえば、今回の低調は一九七〇年の大阪万博を知る者の目には明白である。あのころ万博は一般国民はもちろん、知識人のあいだでも大きな関心の的となり、開催テーマ「人類の進歩と調和」についても決定前に熱い議論が交わされていた。小松左京、梅棹忠夫といったオピニオン・リーダーが、計画の細部まで立ち入って関与していた。

だが今回のテーマは、誰がどこで決めたのかほとんど知らされていない。文章も抽象的なうえ、「いのち輝く未来社会のデザイン」とは、あまりにも当然過ぎて、同義語反復の印象さえある。

国際事務局に提出された立候補申請文書を読むと、この「いのち輝く」は「健康・長寿」を念頭に、主に医療と医薬の開発をさしているようだが、だとすれば一層、お粗末だといわねばならない。二〇二〇年代の大阪にとって、最大の人命問題は南海トラフの巨大地震と、年ごとに増える台風の脅威であるはずだからである。まずは天災対策をテーマの筆頭に立て、その上で医療の進歩を掲げるのが、ことの順序というものだろう。

憂うべきは、こうしたお粗末がなぜ生まれたかであり、明白に企画が密室の産物である事情を露呈している点である。国民は万博招致の過程に参加し、情熱を共有する機会を奪われたともいえ、反応が冷ややかなのは当然なのである。国民に反対者はいないと主催者は言うが、反対しないのと、こぞって会場に足をはこぶのとは、まったく別の話だろう。

第二の不安、文明的な変化とは、前世紀末に始まった映像の氾濫であって、人類が多くの情報源を実物より映像に頼るようになった事態である。テレビはもちろん、iPadのような情報通信機器の普及はめざましく、人びとは親しい友人の顔でさえ、じかに見るよりも映像で見る頻度のほうを増している。

それに応じて懸念されるのは、人びとがしだいに実物を見ることへの興味を失い、実物を見るために遠くまで出かける意欲を減らしていることである。旅行ブームはまだ続いているが、旅行者にはせっかくの風景を肉眼で凝視するのではなく、カメラに収めて早々に立ち去る姿がめだつようになった。

この世情が恐ろしいのは、本来、万博が実物を見せて人を呼ぶ催しであり、過去にも珍しい「見世物」を展示して成功してきたからである。最初期のロンドン博には世界中の未知の植物が集められ、一八六七年のパリ博には江戸幕府と薩摩藩が出品して異国趣味をそそった。一九七〇年の大阪博ではアメリカ館に月の石が持ち込まれ、有人月探査の興奮さめやらぬ来場者を歓喜させた。二〇〇五年の愛知博には冷凍のマンモスが陳列され、かろうじて観客の好奇心を満たした。しかし今、これに匹敵する「見世物」が世界中にあるだろうか。

前世紀末から各地で国内博覧会が開かれ、そこでは趣向を凝らした映像を展示する例が増えた。だがどんなに絢爛《けんらん》たる映像でも、所詮、映像は普遍的にどこでも一様に見えるものだから、特定の場所に建つ博覧会にはなじまなかったようである。ずばりいえば、二十一世紀は万博終焉《しゅうえん》が危ぶまれる時代なのである。

緑の防潮堤と先端医療施設

しかし、すでに二〇二五年万博は大阪に招致されたのであり、日本は国際社会に責任を負ったのだから、日本人たるもの冷笑的な態度をとるわけにもゆくまい。せめて努力するべきは、国民から多様な企画案を募集して参加意識を育て、そのなかで実物の陳列と呼べる妙案を探して実現をめざすことだろう。

この提案を具体的に説明するために、ここで一つ、私自身が夢と描く企画案を披露してみよう。やむなくテーマは、「いのち輝く未来社会」をそのまま引き継ぐものとする。

会場は大阪湾の人工島「夢洲《ゆめしま》」とされているから、私はまずこの島の周囲約七・六キロを隙間なく、予想される地震の津波と台風の波浪に耐える防潮堤で囲むことにする。おそらく高さ十メートルに達する「万里の長城」は、それだけで目を見張らせる見世物になるだろう。

もちろん防潮堤は緑と花で覆い尽くし、頂上には遊歩道と展望台を設けて、瀬戸内海の絶景を楽しめるようにする。また堤の内壁に沿って、ホテル、病院、中層住宅、美術館や音楽ホールを建てるのもよいだろう。頑丈であって異物感のない防潮堤は、たぶん設計家の創作意欲に火をつけるはずである。

その内部の安全な空間が会場になるわけだが、私は会場の全平面をバリアフリーにすることを勧めたい。会期中の大阪は灼熱《しゃくねつ》の猛暑が襲うから、幌《ほろ》付きの電動車椅子を希望者に貸し出し、各国館、企業館を結ぶ通路はもとより、館の内部まで座ったままで動けるようにする。障害者や高齢者が「いのち輝く」社会をめざして、そのインフラを先取りするのである。

このアイデアはいわば会場全体を「見世物」に変え、会場そのものを見るために来る観客を呼ぼうという案だが、必ずしも奇想天外な考え方ではない。一八八九年のパリ博はエッフェル塔が建設された万博だが、このときの目玉はあの大鉄塔の聳《そび》えるパリの市街そのものであった。市内には鉄塔のほかにも建造物が加えられ、現代の魅力的なパリを都市改造によって生み出す万博になった。

現状の企画案を責め過ぎたようだが、それが唱える医療や製薬に力点を置く万博も、これだけの発想の転換の上でなら十分に認められる。原案に加えれば、会場にはぜひ実物の病院、先端医療と検診が可能な病院を設立してもらいたい。そこでは海外からの富裕観光客に最高の人間ドックを用意し、必要なら手術や投薬も提供できると面白い。もちろんこれは将来、医療目的の海外旅行客の増加を期待しての話である。

もはやこれ以上の贅言《ぜいげん》はいらないだろう。今、広く国民から募れば、私の思いつきに勝る案は数知れず集まるはずである。付けるべき条件は三か条、テーマは単純であること、企画は実物の展示を中心とすること、将来に目に見える遺産を残すものであることだろう。

〔『読売新聞』大阪本社版、二〇一八年十二月二十一日「関西よみうり懇話会」〕

平成と日本人

激動期を経て生き方に変化

平成の三十年間は、二つの歴史的な激動期の終焉《しゅうえん》とともに始まった。一つにはこの時、世界史的な危機の切迫が回避され、武力とイデオロギーを懸けた東西対立が解消した。平成元年（一九八九年）の秋、ベルリンの壁が破壊され、翌年のドイツ統一、二年後のソ連崩壊まで事態は一気に急進した。戦後、日本国内を左右した政治と思想の対立が、一挙に基盤を失ったのだから、この影響は大きく深かった。

もう一つは、この時、日本は建国以来というべき大発展期、産業の究極の飛躍期を最終的に終えようとしていた。明治に興り、敗戦復興時に加速され、一九六〇年代に頂点を極めた高度成長時代を経た後、平成元年はすでに三つ目の「十年期（ア・ディケード）」を迎えようとしていた。

直前の二つの「十年期」、一九七〇年代と八〇年代は、当時を生きた人には必ずしも分かりやすい時代ではなかった。「黄金の六〇年代」に比べて、例えば七〇年代は名前がつけにくく、人がどういう姿勢で生きればよいのか、覚悟の決めにくい時代であった。テレビの企業広告に夜明けの風景が映され、「次は何だ（ホワッツ・ネクスト）」と意味深長な疑問符が流されて話題になったのを、私は今も鮮やかに覚えている。

平成がこうして終焉とともに始まったことは重要であって、日本人は一見、この時代を消極的に生き始めたように見えた。従来のイデオロギー的な警戒心を解き、時代のスローガンへの興奮も捨てた結果、身構えることなく新時代を迎えた。そのことが最も顕著に表れたのが、政治の変化だったと言えるだろう。

平成五年（一九九三年）には早くも、鉄壁に見えた自民党が分裂を見せ、細川連立内閣に政権を譲った。翌年には政権は奪い返したが、驚いたことに積年の政敵であった社会党の村山富市委員長を首班に担いだ。平成八年（一九九六年）からは再び首相の座を取り戻したものの、平成二十一年（二〇〇九年）には選挙で民主党に敗れて野に下った。ようやく公明党の協力を得て、第二次以降の安倍内閣が安定政権を築いたのは、平成も最後の五分の一にすぎないのである。

だがこの経験によって、日本人は自国の政治について少なからぬ知恵を学んだ。俗に言う五五年体制が冷戦の産物に過ぎず、真の国内対立に根ざしたものではなかったこと。自民党が良識的な再分配政策をとる限り、今後とも政党対立が国の根幹を揺るがす心配はなさそうなこと。もちろん失政による政権交代はあるだろうが、日本には「緑の党」や極右政党の影もなく、トランプ米政権が招いた国論の分裂の気配もないことが分かったのである。

誇るべき公共意識の定着

他方、平成の三十年は自然災害と経済低迷によって、いわば両手打ちを食らって手荒く始まった。災害と経済には似たところがあって、どちらも人為の力で対処できない面がある。人が自分の生き方を変え、環境と運命に適合していく知恵が必要になるのである。

その点、平成の日本人は災害について素晴らしい反応を見せた。阪神・淡路、東日本、熊本などの大震災、中国地方の水害を含めて、平成の災害では全国規模の市民の自発的支援活動が一般化した。年齢や階層を問わぬ市民が私費で参加し、それを周旋、組織する専門家の民間活動団体(NGO)も結成された。明治以来の近代社会の中で、血縁地縁によらない相互扶助が習慣化したのは最初ではないだろうか。

これに対して経済の方は、不況、低成長を長らく嘆かれながら、それにしてはよく安定しているというのが、庶民の実感だと言えそうである。失業者数も少なく、倒産社数も突出せず、住宅や高額商品のローン負債者の群れも目立たない。何と言っても、アメリカや中国のような所得格差の天文学的な開きは日本には認められないのである。

明らかに経済の面でも、日本人は平成の直前頃から生き方を変え、大量生産、効率主義からの自発的な転換を図っていた。物質の消費よりは情報の享受に関心を持ち、趣味、観光、スポーツなど、文化活動により多くの時間を費やす傾向を強めてきた。

製造業は横ばいでも、サービス産業が比重を増したことで、国内総生産（GDP）が伸びない割には、自営業とその雇用を下支えしてきたと見ることができるかもしれない。

平成の三十年を見渡した時、GDPを比較すると日本の国力が相対的に低下したことは疑いない。日米中の三国の動向を比較しても、そのことははっきりしている。GDP至上主義者は落胆するだろうが、その代わり、今日の日本には明治以来のいつの時代にもなかった、誇るべき国威が新しく芽生えているように思われてならない。

ほかでもなく、日本人が今風に言えば「生きざま」を変えて、生活の文化を磨き、他人への配慮を強め、社会関係の質を高めようとしてきたこととの結実である。一見、無関係のように見えるが、災害時の相互扶助に意欲を燃やすのと、室内デザインに趣向を凝らすのとは、同じ繊細な神経の働きなのである。

くどくは述べないが、一つだけ、昨年たまたま触れたテレビ番組の一節を紹介しておきたい。新しい平成の国威は静かに海を渡り、フランスのパリに影響を及ぼしているというのである（昨年九月二十四日放送、NHK「とことんフランス！　深田恭子のジャポニスム2018」）。

番組の出だしは気軽く、近頃のパリジャンはラーメンをすすって食べるようになった、という話題から始まる。続いては魚の鮮度を保つ「沖締め」の話で、日本から輸入された技術が広くフランスの漁師に習得され、パリの料理界において、魚の常識を一新したことが伝えられる。ことは味覚の楽しみの話であり、日本の視聴者として見ていて悪い気持ちはしない。がぜん緊張して乗り出したのは、三番目の話題であった。

パリの街並みは壮麗だが、道路はお世辞にも清潔とは言えない。見かねた在住日本人たちが立ち上がり、自発的に清掃を始め出したというのである。パリ市民の反応は否定的で、清掃業者の職を奪うという反対の声すらあった。

ことは他文化の批判につながりかねない心配があったわけだが、日本人の寡黙と愚直さが救いになったらしい。そろいのエプロンまで用意して頑張っていたら、やがてフランス人が参加し始めた。今では彼ら自身の運動になり、清掃業者も喜んでいるという。

この話を聞いて、私は胸に熱いものを禁じ得なかった。明治に輸入された「公共」の観念が、平成の終わりには身に付いた国民の習慣になり、今、かつての故郷に帰りつつあると実感したからである。

〔『読売新聞』二〇一九年二月二十四日「地球を読む」〕

近代日本の転換

個人主義と公徳心の両立

令和の天皇の生誕から今年の即位まで、過ぎた歳月はほぼ六十年になる。振り返ると、この半世紀は日本の近代史における転換期、国と国民生活の姿を変える転換期だったといえそうである。明治以来の日本の近代化は、良かれあしかれ拡張主義の歴史であって、「追いつけ追い越せ」の競争心に駆られていた。これは戦争と敗戦の悲劇にも変わらず、戦後日本も国勢を国内総生産（GDP）という物量で計り、それを拡大することを国是としてきた。

転換の兆しはたまたま一九七〇年代初頭、歴史に残る企業広告、「モーレツからビューティフルへ」で予言された。実質的な変化はまず消費態度の個性化や、量より質への要求、個人を遇するサービス産業の拡大となって現れた。

それまでは猛烈に働いて稼いだ金を、人々は競って同じ「白物家電」の購入に充てていた。自動車会社は競争を煽《あお》って、「隣の車が小さく見えます」と宣伝して恥じなかった。しかし、この頃から人々は量や大きさで計れないもの、たとえばデザインに金を払うことを厭《いと》わなくなった。はやり始めたTシャツの価格構成について、原材料の木綿は百円、デザイン料が二千九百円と聞いても腹を立てる人はいなくなった。

一九六〇年代に二十万軒だった飲食店が倍に増え、大衆版のファミリー・レストランも姿を見せた。誰もが一人の個人として、顔の見える人間として処遇されたいと願い始めた。ファッション界でも、個性的な趣味を売るセレクトショップや、顧客どうしが互いの嗜好《しこう》を交換するガレージ・セールスが出現した。音楽業界では、聴衆がライヴ演奏に殺到し、やがて自分自身が歌う機会を求めてカラオケという新商売を生み出した。

欲望の変化は一つの兆候にすぎず、じつは一九七〇年代を境に、日本国民の心情が大きく変革へと動いていたと見ることができる。好みの個性化は個人主義に通じ、人間関係をも自由に選ぶ主体性が芽生え始めた。近代以前の地縁や血縁の関係、その変形というべき「企業縁」が絶対的な絆《きずな》でなくなっていった。

こうした民心の変質が静かに滞積し、やがて噴出したのが、平成になって頻発した天災に直面したボランティア活動であった。画期的なのが阪神・淡路大震災であって、全国から地縁も血縁もない国民が駆けつけた数は一年で百三十七万人に及んだという。これが東北や熊本で恒例化し、ボランティア（自発的無償行為）という言葉は日本人の日常語になった。個人が自分の意志で公共の利益に奉仕し、個人主義と公徳心を両立させることは、今や日本人の自然な習わしとなった。

国境を越える日本の徳目

実際、この半世紀で、日本人の公徳心は素朴なレベルでも改善が著しい。家庭ゴミの捨て方のマナーも普及したし、飼い犬のフンを始末する散歩者も増えた。渋滞に怒ってクラクションを鳴らす運転者はいなくなった。落とし物が持ち主に返る率は世界一だという。一方で身繕いのデザインに気遣い、他方で被災地の泥土と闘う国民の心は、どこか底辺で繋《つな》がっているようなのである。

さて、令和はこうした国情のもとで始まったわけだが、私の予測ではこの先、近代化のあの大きな転換が再逆転するような兆候は見当たらない。日本は再び内需の拡大を図って、国内総生産（GDP）で中国と競争するような道は歩まないだろう。物量よりも情報の尊さを味わった消費者は、今後さらにその喜びを満たす多様な手段を与えられる。スマホを筆頭とする情報機器の普及は、ますます金のかからない時間つぶしを盛んにするはずである。

もちろん、定常的な社会を維持するためにも一定の経済成長は不可欠だが、それが現在の年二％弱を大きく上回ることは考え難い。それでも日本はいわゆる「失われた二十年」を生き延び、失業者もローン破産者も氾濫させず、経済格差もほどほどに抑えてきたのだから、過度の心配はいらないだろう。問題は、ＧＤＰがかつて及ぼしていたイメージ効果、国内には自信を、海外には存在感を与えていた日本の国威が喪《うしな》われることかもしれない。

実はここまで書いてきたのはその憂慮を払うためであって、この半世紀の日本文化の成熟は成果を海外に輸出し、国のイメージの向上に寄与するところにまできている。文化の輸出は今や漫画にとどまらず、社会の基本をなす公徳心の移転にまで広がった。

ある日本の非営利組織（NPO）の仲間たちがパリに駐在していて、意気投合したことから、自発的に街の道路の清掃作業を始めて成功した話は、今年二月のこの欄で紹介した。最初、パリ市民の反応は否定的だったが、日本人の黙々とした確信ある行動や、自国の公序良俗が世界でも通用するという自負心が、誇り高いフランス人を動かしたのが面白かった。

日本の公徳心が国境を越えた規範となり、外国人を教化し始めた兆候は、最近の中国人留学生の投書からもうかがわれる。日本の住居や公共建築物の清潔さを「他者への心遣いの現れ」と捉え、率直に自国の現状を批判して反省した言葉を読むことができる（『読売新聞』東京本社版、二〇一八年二月三日「気流」面）。

その中でも注目を惹《ひ》くのは、国際協力機構（JICA）の北岡伸一理事長の最新著『世界地図を読み直す』に紹介されている「日本式小学校」のエジプトへの輸出だろう。二〇一六年に、シシ大統領の発案に基づき、北岡氏が対応したものだが、その眼目は「子供が校舎の掃除をする小学校」だったという。

大統領は、日本人の礼儀正しさと規律ある行動に関心があって、それを涵養《かんよう》したのが小学校教育であると直感したらしい。確かに日本は初等教育を重視したが、そこで要となっていたのが躾《しつ》け教育だった。「自分で汚したものは自分で綺麗《きれい》にする」という単純な徳目は、清潔感と責任感、それに平等な仲間意識を育むうえで鍵となっていた。

この日本の徳目がエジプトに移植され、二〇一八年には最初の学校が開設され、二百校を目途《めど》に増設が予定されているという。日本文化が国際的な教化力を発揮したというこの事実は、GDPによる国威の発揚以上に、令和の日本を占う明るい材料といえる。

将来、外国移民の受け入れは日本にとっても不可避の課題だが、その際、移民の文化的な同化は必須だからである。権威としての日本文化に外国人も進んで随《したが》う可能性を知ることは、国を開く日本人に勇気を与えるにちがいない。

〔『読売新聞』二〇一九年六月二十三日「地球を読む」〕

あいちトリエンナーレ

「表現」と「主張」の取り違え

今年の夏、平穏な日本の文化社会を一時、震撼《しんかん》させる珍事件が起こった。八月三日、愛知県の国際藝術祭「あいちトリエンナーレ」の企画展「表現の不自由展・その後」が反対者の脅迫を受け、不慮の事態を恐れた企画者と主催者が展示の中止を決めたのである。

展覧会そのものは終了しており、脅迫した犯人も検挙されたうえ、「不自由展」の展示も再開されたのだから、事件は既に過去のものになったように見える。

だが、騒ぎの反響は極めて大きく、民主主義の危機とさえ叫ばれたわりには、ことの本質についてまだ納得できる分析は行われていない。世間とマスコミも、企画者と主催者も、事件の総括的な評価や釈明はしていない。あの時、一体何が起こったのか。日本における表現の自由は本当に試されたのかどうか。将来の糧となるような説明は今もなお、課題として残されているように思われる。

というのは私の見るところ、ことの発端には企画者の重大な思い違いがあって、それが問題の根本的な種を蒔《ま》いていたのに、その点を指摘する声は聞かないからである。

率直にいって、私にとっては「表現の不自由展」という言葉そのものが、極めて奇異で不自然なものに響いた。「表現」という優しく控えめな用語と、「不自由展」という攻撃的、かつ挑戦的な言葉遣いの結合には違和感がある。

とくに「不自由展」の目玉が現下の外交的な争点である、いわゆる従軍慰安婦の問題だと聞くにつけて、企画者は「表現」と「主張」という言葉を取り違えたのではないか、というのが第一印象であった。そもそも企画者は、言論人として、自己表現と自己主張の違いについて一度でも真剣に考えたことがあったのか。二つは似ているように見えるものの、本質はむしろ正反対であることに気づかなかったのだろうか。

少し考えればわかることだが、表現は本来的に謙虚な営みであって、最初から表現相手に対する敬意を前提にしている。人は相手の好意を得ようとして顔かたちや仕草《しぐさ》を整えるわけだが、その相手が自分の尊敬する人でなければ努力の意味がない。身嗜《みだしな》みは見てほしい人を選んでするものであって、現に猫を相手に身繕う人はいない。

これに対して、主張は一種の自己拡張の行為であって、根本的に相手に影響を与えて変えようとする動機に基づいている。敵意からであれ好意からであれ、相手を啓蒙《けいもう》・教育して、自分の考えに従わせようとする。早い話が、主張なら猫を相手にしてもできるのであって、それが飼い猫の躾《しつ》けというものだろう。

「藝術性」「反論の自由」の欠如

要は、主張は自らの自由にこだわるが、表現にはそんな執着は初めから存在しないのである。ちなみに歴史を振り返ると、文明の中で表現と主張は互いに支配圏を争ってきたように見える。一言でいえば、主張が急速に勢力を増して表現の領域を侵し始めたのである。とりわけ藝術が象徴的だ。かつては全面的に藝術家の表現であった造形は二十世紀初めから性格を変え、今では大部分が作家の自己主張の産物になり果ててしまった。

長い間、藝術はパトロンを相手とする表現だったものが、パリの印象派、ウィーンの分離派あたりから立場を変え、大衆を相手とする啓蒙を目指し始めた。二十一世紀の今日では造形は百花《ひゃっか》繚乱《りょうらん》、藝術家の「個性」と称する自己主張の展示場と化している。

一方、イデオロギー時代の遺産として、また商業主義の副産物として、藝術はそれ自体とは別の情報、商品や思想の伝達手段に甘んじることを身につけた。明らかに今般の「表現の不自由展」の展示品は、背後にイデオロギーを背負った宣伝手段の典型だろう。

こうした歴史的な背景を顧慮すると、「あいちトリエンナーレ」の企画者らが用語を取り違え、「表現の不自由」を口にしたことにもいくらかは同情できる。しかし、そのうえでなお遺憾とすべきは、今回の展示品が宣伝藝術としてすら粗略に扱われ、核となるはずの表現はほとんど無視されていることである。

もし、あのいわゆる従軍慰安婦を象徴する少女像が藝術上の作品として制作され、それとして評価されていたなら、その純造形的な側面について、これまで何らかの批評があってしかるべきだろう。彫刻としての色と形、素材の選択や技法について、少なくとも企画者による評価が語られてほしいところだが、それが全くない。これでは作品は宣伝「藝術」としてすら、正当に遇されたとはいえないのではないか。

同じことは「表現の不自由展」の他の展示品、昭和天皇の肖像を用いた作品を燃やす映像についても指摘できるから、残念ながら、この企画は表現といえないばかりか、主張の展示としても適格性を欠くといわざるをえない。とくにこの催しが公的行政機関である愛知県と名古屋市が中心となって主催された点を考えると、事態は将来のために深刻に反省されなければならないだろう。

言うまでもなく事件を直接起こした脅迫犯人、ファクスを隠れ蓑《みの》にしたうえで、直近の残虐事件の再現をほのめかした破廉恥漢の卑劣な罪は論外である。警察が早々にこれを逮捕したことは喜ばしいし、はからずもこの実績によって日本社会の言論の自由は護《まも》られたといえる。

しかし翻って、もし行政機関が国民の主張の自由を擁護し、積極的に援助したいと真に望むなら、必要なのは何よりも公正性の保持だろう。主張の自由はその根底に科学哲学者カール・ポパーのいう「反証可能性」、すなわち反論の自由を含んでいなければ成り立たないからである。

問題の韓国人従軍慰安婦の歴史をめぐっては、かねてその細部の事実関係について両論がある。少女像の展示は韓国での多数意見を代表するものであって、日本ではそれに賛同できないという声が強いことも事実だろう。だとすれば、日本の公的機関のとるべき態度としては、双方の意見を公正、平等に代表させることだったはずである。

当然、それには展覧会という方法は適当ではなく、別途、討論会なりシンポジウムなりを開いて双方の主張の交換を促すのがふさわしい。その際に韓国の多数意見の代表を招くのは難しかろうが、私としては韓国に勇気ある人物がいることを信じるし、日本側にも身辺の安全を守る鉄壁の備えがあると確信している。僥倖《ぎょうこう》を祈るなら、この対話が悪化した日韓関係の改善に向けて奇跡的な端緒になるかもしれない。

いずれにせよ、自由は命がけで護るべきものであって、及び腰で試すべきものではないのである。

〔『読売新聞』二〇一九年十二月二日「地球を読む」〕

「論理国語」新設

言語力あっての表現力

「今日も雨だ、天気が悪い」という一文を読んで、これは論理的な文章であり、後段は同義語の反復だと解釈する人は、国語が分かっているとは言えない。前段は確かに叙事的な表現だが、後段の真意は「だから鬱陶《うっとう》しい」「気が滅入《めい》る」という叙情的な感想だと読むのが、常識だろう。

文部科学省は、生徒の論理的な国語力の向上を目指す傍ら、主体的な表現能力の育成を図るとして、二〇二二年度から高校国語の新しい学習指導要領を実施する。その目玉が選択科目「論理国語」の新設で、従来の名文読解の指導、教師が読み方を教え込む教育から、生徒に考えさせる教育への転換だと言われる。これには文学関係者の危惧が強く、特に近代文学の名作の軽視につながるという批判が、文学を研究する十六の学会から出された。

だが、冷静に考えると、新政策の真の問題点は、その結果、夏目漱石や森鷗外が忘れられるということにあるのではない。文豪は知らなくても、正確に企業の報告書が書け、新聞記事が読める人材が増えれば、公教育の最低基準は満たされたと言えるからである。むしろ大問題は、文科省そのものが言葉の本質を正確に捉え、現場の教員に迷いない言語観と教育法を伝えているかどうかにある。

危うさは、すでに「論理国語」という用語法自体に表れている。百歩譲ってそれを叙事的な言葉と理解しても、それと反対語の叙情的な言葉との関係は、冒頭に述べたように複雑微妙である。一方、大衆的な流行語は「カワイイ」とか「ヤバイ」とか、情緒的な述懐の氾濫を見せている折から、「論理国語」がその撲滅を意図しているなら理解できるが、そういう気配も感じられない。

何よりも文科省の言語観の浅薄が感じられるのは、生徒の表現能力を過信し、自由な発表活動を教育の中心に据えようとしていることである。人間は自由に感じたり、考えたりしたことを話すのではなく、まず言葉を与えられ、それによって物事を感じ、考える存在であることが、ここではまったく忘れられている。さらには、表現という営みが極度に安易に捉えられ、言葉を知らない乳幼児でもできる、むずかりや甘えと同程度にしか理解されていないと言うべきだろう。

乳幼児のむずかりや甘えは一対一の相手に向かい、肉体能力の届く範囲において直接的に発せられる。その際、コミュニケーションの責任はもっぱら相手にあって、乳幼児が誤解の責任を取ることはない。実は言語活動はあらゆる点でこれと正反対の構造を持ち、人に正反対の努力を求めるものなのである。

読解力向上は教育の責務

言葉は、本質的に一対一の伝達ではなく、当の相手のほかに第三の傍聴者を予定している。直接に声の届く範囲を超えて、誰が立ち聴いても分かることを理念的な目標としている。かねて私はこれを「対話」に対する「鼎話《ていわ》」活動と呼んできたが、言いかえれば言葉はただの発信ではなく、話者と複数の相手との共同体を作る営みなのである。

だからこそ、世間では相手の見えない書き言葉が重視され、書き言葉は無限定な相手に向けて、あたかも独り言のように書かれる。もし誤解が生じれば責任の大半は発信者が取ることになる。また、共同体の維持を目的とすればこそ、全体に通じる「正しい言葉」を使うという観念も生まれ、各個人もその言葉に従って、感じたり考えたりし始めるのである。

これだけの原則を前提とした上で、しかも文部科学省の真意も忖度《そんたく》しながら、今、どのような国語教育改革が提案できるだろうか。近来の動向から察するところ、文科省の本意は、実社会の役に立つ国語教育を目指す、という点にあるとみられる。文豪の高尚な叙情や哲学ではなく、簡明で実用的な文章を教えたいということではないだろうか。それなりに肯《うなず》けない話でもないので、だとすれば私も言葉を業とする身の責任感から、ここで二つの実現可能な方策を提案してみようと考えた。

第一は、昔、福澤諭吉が慶應義塾の生徒に教えたこと、文章でものごとを描写させる訓練である。福澤はどこにでもある人力車を取り上げ、それを見たことのない人に分かるように文章で描けと命じた。そこには情緒も哲学も入る余地はなく、ひたすら即物的で、しかし多様な語彙《ごい》の柔軟な駆使が求められる。

私はこれを現代の高校に導入するのは効果的であって、極めて容易であると考える。たとえば教室を二つに分けて、一方に風景や事物を言葉で描かせ、他方にそれを読ませて絵に再現させる。その上で両者に結果を比べさせて、異同を討論させるのである。

教師の仕事は、語彙不足の生徒に助言をすることと、最後の討論の司会をすることのほかに多くはない。一方の生徒の言葉が他方にどれだけ通じたかを計るとともに、作文力と読解力を同じ場所で同時に比較することによって、成績判定もこれまで以上に客観性を帯びるだろう。

もう一つ勧めたいのは、長い文章を要約する練習である。対象の描写が言葉による観察の力を高めるとすれば、長文要約は人の考える力が言葉を通じてどのように働くかを教える。ただの思いつきを言い捨てるのとは違って、共同体の共感と同意を得るために、人はどんな順序で考えを進めなければならないかについて教える。結論の出し方によって逆に導入部の入り方が決まり、中間部の山の高さは全文の終わり方によって変わる、といった文章の妙味を、生徒はこの勉強から学ぶだろう。

この場合も教室で必要なのは、課題文に対する性急な批判や評価ではなく、もっぱら正確な読解と要約だけである。もちろん教材は慎重に選ばねばならないが、目標はあくまでも国語力の向上にあって、生徒の自己顕示欲の刺激にはないことを忘れてはならない。その上で、ここでも生徒同士の相互比較、要約の示し合いと討論を奨励すれば、教師の負担増なしに教育効果は上がるだろう。

二つの教授方法を提案したが、どちらにとっても不可欠なのは本を読むことである。国語は「読む、書く、話す」の三要素から成ると言われるが、最も重要なのは比較の余地なく読むことである。理由は、乳児のむずかりから最も遠いのが読むことだからと言っておこう。発信は言葉がなくてもかろうじて可能だが、読み解いて理解することは言葉の独擅場《どくせんじょう》である。

国民の読書量が激減していると言われる現代、せめて高校生には教科書以外の本を年に三十冊、三年間で百冊を読むことを奨励することが、公教育の責務ではなかろうか。

〔『読売新聞』二〇二〇年四月二十日「地球を読む」〕

専門家主導の統治に、社会対立は影を潜めた

自然はさまざまな災難を人に及ぼすが、なかでも流行性の疾病は素人にもわかりやすいという点で特別だといえる。これがたとえば空気中の二酸化炭素増大の話になると、結果は甚大な被害でありながら、日ごとの生活実感には変化が少なく、人の行動と地球的な問題との因果関係もすぐにはぴんと来ない。通常、科学の専門知識が社会を動かし、政治を主導するには時間がかかるのである。

今回の「新型コロナウイルス性肺炎」の蔓延《まんえん》が教えたことは、現代社会は問題の深刻さが身をもってわかれば、科学の専門家の指導にじつに従順だということであった。指導は多岐多様にわたり、日常生活の細部にまで及んだが、とくに日本人はそれに忠実に従った。

また日本の科学者は特別に啓蒙《けいもう》に熱心なのか、感染経路、感染拡大の形態、疫学的統計の読み方など、みずからマスコミに登場して解説した。たとえば自粛は二月の末に始まったが、三月半ばにやや好転の兆しが見え、気の緩んだ若者が僅かの自由を楽しむと、たちまち月末には過去最

大の罹患率に襲われたことなど、経緯の細部まで説明された。国民はいささかの後ろめたさを込めて、必要な知識をいち早く専門家と共有したのだった。

この時点から、政府とその「専門家会議」の態度は強硬になり、法にもとづく「緊急事態宣言」まで一気に突き進むことになる。国民への要求もマスクの着用や手洗いの徹底に始まり、「密閉・密集・密接」を避けることへと厳密化され、やがて特定の店舗、事業所の閉鎖を勧告するところまで進んだ。企業の従業員は在宅勤務を要請され、休日には不要不急の外出を控えるように求められた。「不要不急」とはきわめて微妙な表現であって、国民各自の生活上の規律、大げさにいえば倫理的価値観に問いかけるものであった。

用もなくぶらつき、無駄なお喋《しゃべ》りに時を潰し、つまりは自堕落な暮らし、たるんだ生活をしていないかを、一人一人が詰問されるかたちになった。現に、身体の接触が危険だというので、人の往来を八割減らすように勧告され、国民がそれに応えると、大都市の繁華街で歩行者の数が大幅に減少した。すると不思議にも三週間後には専門家の予言通り、感染者の数も一桁少なくなる改善ぶりを見せた。国民は事実そのものによって、忠告に従うのが正しい、やればできるではないかと、やんわりとたしなめられたのであった。

それにしてもこの数か月、叱られた日本人が見せた自粛ぶりもまたみごとなものだったといえる。諸外国と違って日本の「緊急事態宣言」は、都市の強制封鎖もおこなわず、国民に法的な罰則を科すものでもなかった。にもかかわらず国民は自発的にみずからを律し、政府の「お願い」のほとんどを行動に表して見せた。アメリカで不満を持つ市民が過激なデモを展開し、インドでは暴動まで起こったことを考えると雲泥の差というべきであろう。これについて私は、現代日本の国民性にもとづく二つの理由があったと考えている。

一つはほかでも書いたことだが、この半世紀近く、国民一般の公徳心の飛躍的な深化があったことである。経済が戦後の高度成長を終えた後、人々の欲望が量から質へと移るにつれて、暮らし方、生き方の全般にわたって美しさへの志向が高まった。美容や服飾や住宅調度に関心が強まったのは当然だが、それが振る舞いの美しさにも及んだらしい。

一九七〇年代末あたりから、家庭ゴミの分別処分、通勤電車の整列乗車が定着し、自動車の交通マナーはもちろん、飼い犬の散歩のマナーまで高まった。全国に飲料自動販売機が二百四十万台あるが、壊されて現金が盗まれたという話は聞かない。忘れ物が届けられる件数は逆に増加し、遺失物が持ち主の手に返る割合で現在の日本は世界一、現金入りの財布が返る稀有《けう》な国だとされている。

この趨勢《すうせい》を背景に、画期的な飛躍を見せたのが災害救助ボランティアであった。阪神・淡路大震災に始まり、東日本大震災、熊本地震、各地の風水害と続く国難のなかで、この互助の習慣は完全に定着した。かつての日本人が地縁血縁によって団結し、義理と人情で助け合ったのに比べて、この同胞愛、人類愛の目覚めは国民性の革新といえるだろう。

公徳心の向上と並んで、今回、国民の国策への協力を導いたのが、患者の治療に当たる医師、看護師、検査技師などの奮闘の姿であった。医療防護具の不足するなか、自分が感染する危険に脅《おび》えながら、不眠不休で働く医療従事者の献身は新聞やテレビで報道された。同胞愛に敏感になった国民はこの姿に感動し、この人たちに迷惑をかけたくないと願って、同じ医療関係者たる専門家会議に進んで協力したにちがいない。


科学という強力な武器を帯び、明らかに本人の利害と無縁に働く専門家にたいして、世界中のどんな国にも勝てる政治家がいるわけがない。新型コロナ性肺炎の流行以来、いち早く専門家に従った政権は評判が高く、迷走した政治家は面目を失ったようである。

米国のトランプ大統領は出足が遅く、自国の流行が世界一となる汚名を被ったが、これは明らかにこの人の医学への無知、鈍感さに由来している。彼はその事実を、記者会見における噴飯物の発言で露呈してしまった。国民の評価も、医学に詳しいニューヨーク州のクオモ知事に軍配が上がった。困った大統領は矛先を中国と世界保健機関に向けたが、これは所詮、パンデミック（大流行）と闘う世界の協調を妨げるだけに終わるにちがいない。

英国のジョンソン首相はこれとは違って、当初、医学の教えに正面から挑戦し、政治家独自の高い見地を示そうとして無残に失敗した。計画は罹患者の数をあえて増やし、免疫を持つ人口を過半にすれば流行は収まるというものだった。だが今回の疫病の性質をもう少し知っていれば、この計画が成功する前に死者は数十万に達することがわかったはずである。やがてそれに気づいた首相は慌てて主張を撤回し、その後は「ステイホーム」の決まり文句を繰り返している。

一方、ドイツのメルケル首相や日本の安倍晋三首相は、感染症が政治課題になった当初から一貫して、医学の専門家に忠実に従って成功を収めている。メルケル首相は医学知識を自分の言葉に翻訳して解説し、安倍首相は記者会見に専門家の代表を同席させるまでして、国民の理解を促した。ついでながらに今般、にわかに衆目を集めたのは都道府県の知事、市町村の首長であるが、この人たちの記者発表は文字通り数字と図表、医学情報のオンパレードに終始するのが目立った特徴であった。

予期せずに始まった国難だが、これがいつ終息するかはさらに予測が難しい。しかも予期できない事態が現に起こったことは、やがてまたこれに似た国難が起こりうるという心配を招く。グローバル化が進んだ現代、「ＳＡＲＳ」「ＭＥＲＳ」、エボラ出血熱、新型コロナ性肺炎と続いたわけだから、いつ新しいパンデミックが爆発してもおかしくない。

言いかえれば今後の社会はいつ医学専門家の指導を受け、政治をその手に委ねる必要が起こるかわからないのである。これまでの推移を見るかぎり、専門家主導の統治はすばらしい「統治可能性（ガヴァナビリティー）」を生み出している。国民は統治に協力的だし、社会対立はほとんど影を潜めている。労使の対立も目立たず、国会内の与野党対立も静まっている。自粛の犠牲者の訴えの声も理性的であれば、これを救うための助成金を増額する努力も、与野党が一致して競い合っているありさまである。

人が人と対決する民主政治が仮眠状態に入り、人が自然と対決するために選ぶ奇妙な実務政治が実現したように見える。将来を思えばこれを経験したのは一つの財産であり、経験を身についた記憶にしておくことは貴重だといえる。しかしそれにつけて見落としてはならないのは、現在の専門家主導の政治のもとでも、職業的政治家の姿はけっして消滅していないという事実だろう。機能としての役割は軽くなったが、存在としての意味は高まったとさえいえるかもしれない。

あえて「存在」といったが、これは政治家の見識や統治技術と共存しながら、それとは本質の異なる別の側面である。しいていえば政治家の「顔」と呼んでもよく、「署名」と名づけてもよく、奇矯に響くが「居るべき場所に居続けること」といってもよい。

今回、メルケル、安倍の両首相が示したのはそういう政治家像であり、これは官僚の実務行政にはまねのできない藝当である。二人とも首相官邸に居続け、法案や宣言に署名をおこない、専門家の見識を全面的に借りながらも、しかしみずからの声と言葉で語り、万一の場合には責任を取るのは自分だという立場を貫いた。選挙で選ばれた特別の権威が、二人にそれを許したのである。

このことが貴重なのは、じつは専門家主導の政治には今回とは違う表れ方もあって、それは不健全だと思われるからである。実例はほかならぬあの喫煙禁止の政策であって、同じく医学者の主導で成功裏に進められたものの、その間、医学者その人はもちろん、責任を取る政治家の「顔」はいっさい見られなかった。国会討論も公開の記者会見もおこなわれず、専門家と行政当局のあいだで、一つの文化は粛々と抹殺されたのだった。

繰り返すが、日本は世界でもとくに自然の脅威に曝《さら》されている国である。疾病のみならず、南海、東南海トラフに発する超巨大地震も予言されている。医学者に代わって地震学者や土木工学者が登城し、政治はそれらの専門家の手に委ねられる日が近く来るかもしれない。そういう政治をどんなかたちで許容するのか。日本人にとって、現在の好機に政治そのものの真の意味を尋ね、いわば政治の哲学を考えておく必要は尽きないのである。

〔『毎日新聞』二〇二〇年六月七日「シリーズ・疫病と人間」〕

Ⅳ

七分の共感と三分の憐憫の作家

沼野充義『チェーホフ――七分の絶望と三分の希望』（講談社）

本書の主題はチェーホフ、副題は「七分の絶望と三分の希望」である。だが読み進むと浮かび上がる作家の姿は、「七分の共感と三分の憐憫《れんびん》」の人だったように見えてくる。愛と同情に溢れながら、知性のゆえにか微《かす》かな憫笑を抑えられなかった作家である。

習作時代のチェーホフは短編を書いて、新聞の娯楽小説欄に発表していたが、その秀作の一つ「ワーニカ」は、すでに哀れな対象への両義的な感情を明確に表している。田舎育ちの孤児が都会に奉公に出され、虐待の限りを受けて故郷の祖父あてに窮状を訴え、助けを求める手紙を書く。みずからも幼年期に児童虐待を体験していた作家の目は温かく、惨状を子細に描きだして、満腔《まんこう》の同情を隠そうとしない。

だが書簡体の小説は一方で孤児の幼稚な文章を露骨に示したうえ、滑稽な無知をあえて人目に曝《さら》そうとする。孤児は宛名となる祖父の姓も住所も記すことを知らず、祖父は文字が読めない可能性が高いのに、手紙を投函《とうかん》すると安心して幸せな眠りに就くのである。

同じアンビヴァレンス（反対感情両立）はまた、チェーホフの女性にたいする態度にも現れている。中編小説「かわいい」は初期の成功作だが、主人公の多情な女性は極端といえるまでにかわいくありすぎる。芝居の興行主と結婚すると演劇に夢中になり、材木商と再婚すると夢を見るほど木材が好きになり、その死後に軍の獣医と結ばれると、晩年には獣医の息子に自宅を譲って生涯を閉じることになる。沼野氏によれば「おばか」と「聖女」を一身に兼ねた女性だが、小説はその両面をまさに均等に活写して憚《はばか》らないのである。

トルストイは人生を肯定的に描き、ドストエフスキーは否定的に描いたが、チェーホフは言葉の厳密な意味においてありのままに捉えた。凡百の写実作家のように価値観を密輸入したりせず、文字通り人生を見えるがままに見せたのがこの天才だった。ありのままに人生を見れば、それが悲劇であるとともに滑稽であるのは当然ではないか。しかも日本の私小説家とは違って、この作家は当時のあらゆる社会問題から目をそらさなかった。

沼野氏の博学と博捜をもって可能になったことだが、この本は十九世紀末以来のロシア全体の社会文化史になっている。農奴解放、児童虐待、女性の教育と社会進出、革命の萌芽《ほうが》、ユダヤ人問題、邪教の流行、流刑地の拡大など、すべて人名と日時をそえた具体的な事件とともに紹介されて、読者は近代ロシア史の基礎を教えられる。たとえば「かわいい」と「魂」という二つの言葉が、ロシア精神を理解するキーワードであることを学ぶのである。

だが同時に強く印象づけられるのは、それを見据えるチェーホフの静謐《せいひつ》な視線である。ユダヤ問題を扱っても、精神病棟の恐怖を描いても、新時代の女性を登場させても、作者の態度には告発や賛美の色は見られない。むしろ問題をひとひねりしたり、あえて裏側から眺める姿勢がめだつ。これは一般に極端を好み、「最大限主義」と呼ばれるロシア文学の風潮のなかでとくに顕著なのである。

先輩の大長編作家たちとは対照的に、彼は短編と中編しか書かず、やがて劇作家として世界的な声望を得るわけだが、この評伝を読むとそれも自然だと思わせられる。あの激動期にどんなイデオロギーにも傾かず、人生をあるがままに見るのは長く続けられる仕事ではないからである。そして一つだけ私見を述べることを許して頂けるなら、演劇には小説にはない独特の仕掛けがあって、彼の危うい綱渡りを助けてくれたからだろう。

演劇には舞台というものがあって、物語はその上で直接に見える場面と、舞台裏で起こってせりふで伝えられる伝聞に分けられる。じつはチェーホフは恐るべきメロドラマ作家であって、どの戯曲にも熱愛、失恋、不倫、挫折、破産、自殺、決闘を装った自殺などが目白押しに現れる。だがそれらはすべて舞台裏で発生し、舞台上は機知と倦怠《けんたい》の漂う優雅なせりふが満たしている。「すだれ越しのメロドラマ」と呼びたくなる構造だが、これがチェーホフ劇の真骨頂なのである。

こういうものの見方をする人には照れ性が多いが、沼野氏が発見するチェーホフ像はそのこと自分自身はつねに他人にを裏づけている。実人生の女性関係においても彼は多くの愛に恵まれながら、自分自身はつねに韜晦《とうかい》と諧謔《かいぎゃく》に身を隠している。生涯を不治の結核に悩んだにもかかわらず、その苦痛を他人には稀《まれ》にしか訴えなかった。そしてこの照れ性が一つの文学的な主張であり、自国の最大限主義にたいする抗議だったことは、彼が先輩トルストイの絶賛を軽く受け流し、戯曲「かもめ」の感傷的な演出に苛立《いらだ》ちを表明したことにも現れている。

偉大な天才の照れ性には、天も加担するのかもしれない。死の床で彼は妻に最期の一言を呟《つぶや》いたが、それは「私は死ぬ」というドイツ語にも聞こえ、「こんちくしょう」というロシア語にも聞こえる言葉だったという。

〔『毎日新聞』二〇一六年四月三日「今週の本棚」〕

アジアから見た「大国」日本の役割

白石隆『海洋アジアvs.大陸アジア——日本の国家戦略を考える』（ミネルヴァ書房）

アジアの現在と近未来を考えるとき、米国の存在は決定的に重要な要素である。著者は明敏にこの点に注目し、現在の米国の力量の評価からこの本を始めている。そしてそのさい著者はこの人らしく良識的に、I・ブレマーの煽情《せんじょう》的な「Gゼロ」論を排し、J・アイケンベリーの現実主義的な見解を採る。

ブレマーが「G7」の没落を誇張し、米国中心の世界秩序の崩壊を断言するのにたいして、アイケンベリーは米国の弱体化は認めながら、戦後この国が築いた国際機関や同盟関係はまだ健在であり、日本や欧州諸国の助力も得て、今後も従来の世界秩序は有効に保たれるだろうという。この見解が白石氏の新著の基調であって、氏はそこから日本の国家戦略をも導きだそうとするのである。

じっさい著者の言う通り、ＩＭＦ、世界銀行、国連、ＯＥＣＤ、ＷＴＯといった機関は機能しているし、米国を中心とする安全保障の軸は強固であり、とりわけ国際語としての英語、および米国流のビジネス風習はとくにアジアにおいて支配的である。擡頭《たいとう》いちじるしい中国も容易に及びがたいばかりか、著者の見方では、中国はこのインフラに「ただ乗り」することで発展してきたのである。

こうした環境のもとで、アジア諸国はいずれも経済的に成長し、程度の差はあれ中産階級化と都市化を加速させ、それにつれて国内の民族的多様性にも変化を見せている。もちろんどの国にも著者が「中所得国の罠《わな》」と呼ぶ危険があって、国富の増大に比して個人所得が伸びないという問題はあるが、各国がそれに無策であるわけではない。たとえばフィリピンでは、英語に堪能な人材の量を生かして海外から収益を集め、それを教育に投資して人材を再生産する政策がとられている。

また都市化といってもそのかたちはさまざまであり、タイのように首都周辺の工業地帯が拡張する一極型が多いなかで、インドネシアのように地方分権が成功して、地方の中都市が膨張する多極型もあるという。ちなみにその結果として、民族や宗教宗派が地方都市ごとに割拠することになり、全国的な民族、宗教対立が沈静したというのは面白い。

当然だが、アジアのすべてがバラ色ではなく、マレーシアでは従来のマレー人優先政策が今や足かせとなり、タイでは伝統の「国王を元首とする民主主義体制」に限界が見え始めた。にもかかわらず全巻を通読して、印象に残るのはアジア諸国のしたたかさである。

冷戦を生き延び、経済危機と民族対立を克服した今のアジアには、内戦や分裂の危険はない。著者は海洋アジアが民主的なのにたいして、大陸アジアには独裁国家が多いと言うが、その独裁制もあまり暴力的ではない。中国の拡張主義の脅威はあるが、これもアジアは賢明に受け入れ、ときにはミャンマーやスリランカの例が示すように、中国の札束外交を断乎《だんこ》拒否する国も少なくないという。

そのなかで日本の国策がどうあるべきかが課題だが、著者はそれにつけて「超大国」と「大国」を区別することを提唱する。前者は世界政治の基本理念を唱道する国家だが、後者はそれを支持、修正することで理念の実現の鍵を握る国家である。日本はこの「大国」の道をめざすほかはなく、その責任を負うべきだというのが本書の結論である。先のTPP交渉を見ても正鵠《せいこく》を射た説であり、著者の見識はここにきて、日本の世界的な国家戦略の教科書の閾《いき》に達したというべきだろう。

〔『毎日新聞』二〇一六年七月二十四日「今週の本棚」〕

人間愛ほとばしる励ましの書

五百旗頭真『大災害の時代――未来の国難に備えて』（毎日新聞出版）

歴史を振り返ると、日本には大地震が連発する時期、いわば地震の活性期が何度となくあった。八世紀の貞観地震から仁和地震にいたる時代をはじめとして、十六～十七世紀の天正・慶長地震群、十九世紀の安政地震を挟む活性期など、その頻度は数えきれない。そして今、阪神・淡路大震災を皮切りに、改めて日本は「大災害の時代」に入ったのではないかと憂慮して、著者はこの本を書いた。

著者はみずから阪神・淡路大震災の被災者であり、当時は神戸大学教授として復興に貢献し、現在も震災を記念して創立された研究機構の理事長を務めている。また東日本大震災では政府の要請を受けて、復興構想会議議長として力を尽くしたうえ、熊本地震でも、縁あって復旧・復興有識者会議座長の重責を負っている。「大災害の時代」の到来を直観し、その実像を究明するうえで、これほど適格な人材はほかにないだろう。

この類い稀《まれ》な大著の魅力は、二本の糸の撚《よ》り合わせからなっている。一方は手練の歴史家による精密な史実の記録であり、無数の当事者証言にすべて出典を付記する厳密さである。だがそれ以上に読者を魅了するのは、被災者や救出者、復興当事者への著者の熱烈な愛情と、その人間愛に読者を共感させる人物像の描写力である。不幸な人、善意の人、勇敢な人の肖像が、凡百の小説の及ばない現実感を帯びて三百ページにちりばめられている。

第一章は戦前の関東大震災、二章は阪神・淡路大震災、三章は東日本大震災を扱うが、この選択それ自体が著者の歴史観を反映している。それぞれの復興を契機に日本の災害復興思想に変化が生じ、復興行政の制度や体制にも画期的な進歩が見られたからである。

関東大震災復興の英雄は後藤新平であり、その理念は今日の言葉でいう創造的復興であった。全滅した東京の街をただ復旧するのではなく、首都にふさわしい近代都市として改革を加え、むしろ発展の機会にしようという考え方である。周知のようにこの計画は財政上の困難に遭い、縮小の憂き目を見たが、それでも著者はこれが相当の成果をあげたと評価している。後藤の薫陶を受けた後輩官僚が持ち場ごとに奮闘し、かなりの程度に理想の実質的な実現に成功したからだった。

第二章にはいると、著者自身が被災者であっただけに、行文はにわかに切実さを増す。ここでのキーワードは「共助」であって、被災者の近隣共同体の助け合いが活写される。生存救出者の八割が共助によるものであって、無数の美談が後に残った。神戸商船大学（当時）の寮生の活躍は涙ぐましいし、「祭りのある街では生存者が多かった」という、自治体幹部の証言が印象に残る。

これを反映してか、復興の理念も新しくなり、後藤の創造的復興は引き継ぎながら、その牽引《けんいん》主体は中央政府から地方自治体の手に移った。貝原俊民兵庫県知事を筆頭に、各自治体の首長が奮励し、独自に「阪神・淡路大震災復興基金」も設立されたし、同じ理念から後に多くの研究機構や文化施設も創立される。また共助の精神は全国に広がり、自発的な奉仕者が集まって「ボランティア元年」と呼ばれる活況を呈したのも、このときだった。

そして私が一読者として見るところ、第三章の英雄は著者その人である。控えめな書きぶりながら、当時の復興構想会議の混迷は凄《すさ》まじく、主宰する著者の苦闘は深刻だったことがわかる。弱体な政府と自己主張の強い委員たちを向こうに回して、著者は文字通り夜も眠れぬ難局に耐える。その結果、生まれた「復興への提言」は画期的な文書となり、史上初めて創造的復興を公的な目標として明記したうえ、その財源も公費に求めることを宣言した。これはそのまま法律に反映され、住宅の高台移転を含む私有財産への援助も、初めて法的に保証されることになった。

同時に阪神大震災後の十六年間、復興環境の変化もいちじるしく、警察も自衛隊も即応体制を一段と高め、国交省が直接に現場に対処する用意を調えていたりした。自治体も災害救援の意識を強め、関西広域連合、杉並区、遠野市などが被災自治体を助け、企業も三菱商事やヤマト運輸を先頭に、多くが得意分野で貢献したと、著者は頼もしげに伝える。

だが著者の筆が冴《さ》え渡るのは、やはり善意の個人の描写である。東北の自衛隊には家族が被災した隊員が多かったが、津波の直後、ある隊員の電話に助けてという妻の悲鳴が響いた。胸裂かれる思いでそれでも任務の救助作業を続けていると、まもなく「大丈夫だから、他の人を助けてあげて」という気丈な第二報がはいった。「天使の言葉であった」という著者の述懐は、心に沁《し》みる。

全編を貫いて、人間にたいする著者の愛と信頼は毅然《きぜん》として揺るぎない。大災害の時代に立ち向かう人間の可能性を信じ、シニカルな悲観論を峻拒《しゅんきょ》するその姿は、太古、民を励まして幽囚から救出した大伝道者を彷彿《ほうふつ》とさせる。


〔『毎日新聞』二〇一六年九月四日「今週の本棚」〕

中産階級、民主主義への寄与と陥穽《かんせい》

猪木武徳『自由の条件——スミス・トクヴィル・福澤諭吉の思想的系譜』（ミネルヴァ書房）

著者は今年、自由を主題として二冊の本を発表した。五月の『自由の思想史——市場とデモクラシーは擁護できるか』（新潮選書）と、九月刊行の本書である。どちらも著者らしい博捜の労作だが、後者はとくに論点を自由成立の社会的条件に集中し、それをめぐる一筋の思想の系譜を描出した。その点で叙述の具体性が増し、著者の政策的示唆もより明晰《めいせき》に読めるので、ここではこれを広く江湖《こうこ》に推奨したい。

一言でいえば、自由が社会的に成立する条件は「中産階級」の隆盛である。それはトクヴィルが十九世紀の米国で刮目《かつもく》した現象であり、遡《さかのぼ》ればスミスが工業化初期の英国に見た都市商工民の誕生である。博識の著者は、同じ中流重視の見解を古くはアリストテレスに見いだし、降っては福澤諭吉の「ミッヅルカラッス」論に及ぶことを指摘する。

富みすぎず貧しすぎない中産階級は、第一に階層的な流動性に恵まれ、努力すれば上昇できるという可能性を信じている。すでに幾ばくかを所有している彼らは、過激な改革に走らず、より上層の階級にたいして怨嗟《えんさ》を抱くことも少ない。結果としてアリストテレスによれば、中間層はより柔軟に理性に従ってものを考え、福澤によれば「智力を以《もっ》て一世を指揮したる者」になりうる。

中産階級を生む商工業はまた、民衆に剝《む》き出しの自己利益ではなく、スミスのいう「同情」にもとづき、「全体の利益」との調和を計ったほうが得策であることを教える。トクヴィルは、この「啓発された自己利益」の精神が政治に現れたとき、米国の民主主義が成立すると考える。米国民にとって、全体との政治的な調和は貴族的な美徳ではなく、有益な処世術の一つであり、彼らはそれを経験から学んだのだった。

だが商工業を基盤とする中産階級は、一方では重大な欠陥を持つ。それは商工業が必然的に分業という方式をとり、それが民衆を専門化に導いて、知識と関心の「アトム化」を招くからである。分業は人を専門の狭い世界に閉じ込め、その外に広がる「公」の世界を忘れさせる。このアトム化による政治の危機は、トクヴィルをも福澤をも憂慮させ、著者自身にも深い懸念を抱かせる。

トクヴィルの見た米国には、この脅威を防ぐ三つの社会制度があった。一つにはタウンを中心とする小共同体への帰属、二つには裁判の陪審を務める義務、三つには財団や協会のような「結社」への参加であった。民衆はこれらによって国家と「私」の中間的な組織に触れ、「公」の存在を身近なものとして感じることができた。ちなみにこれと並ぶのが新聞のような報道機関であり、みずから結社の一種である新聞が情報を束ね、周囲に世論という共同体を組織することが、アトム化を防ぐ砦《とりで》として期待されるのである。

全巻を通じて著者が重視するのが言論の自由であって、これはたんに政治的自由の手段ではなく、真実にいたるための対話の自由、ソクラテス的弁証の自由として求められる。そのさい著者が清澤洌《きよし》を引いて、感覚や慣習から反射的に生まれる「第一思念」と、理性的な対話を経て生じる「第二思念」を峻別《しゅんべつ》しているのは、時宜に適《かな》っている。

二十一世紀の現代、スマートフォンのような電子機器の普及が人びとの対話を断片化して、反射的な第一思念の交換ばかりを氾濫させている。結果として、隣近所のような社会の中間的な組織が弱体化して、まったく新しい種類のアトム化が進むことが恐れられるからである。

〔『毎日新聞』二〇一六年十一月六日「今週の本棚」〕

EUの混迷から読む国家論

遠藤乾『欧州複合危機——苦悶するEU、揺れる世界』(中公新書)

EUの草創期にみずから身をもって参加し、名著『統合の終焉《しゅうえん》——EUの実像と論理』を書いた著者は、当然、EUの理想の強い支持者である。だが誠実な研究者であるこの人は、その現在の困難をだれよりも直視し、危機の深刻さを知悉《ちしつ》する人でもある。今回の新著は英国のEU離脱決定の直後に書かれ、著者の目は一段と冷徹に混迷の深部に向けられている。

EUの絶頂期は二十一世紀初頭、通貨統合と国境撤廃を果たし、旧冷戦の壁を破って東欧進出に成功し、加盟国数が二十五に達したときであった。だが著者の見るところ、危機もまた二〇〇五年、欧州憲法の草案が成立したにもかかわらず、これがフランスの国民投票によって否定されたときに始まっていた。

これを契機に参加諸国の内部で反対の機運が高まり、憲法、元首、軍隊を持つ欧州合衆国建国の夢は終焉した。ＥＵの根本精神が死んだわけだが、これがすでに組織の最盛期に生じていたと著者は見るのである。

それ以来、ＥＵという国家があって、傘下に従来の国民国家があるという二重構造が欧州の宿命となった。これほど根源的な背理があれば、ギリシャの財政破綻と叛乱《はんらん》が生じ、英国の離脱が現実のものとなり、その他の国々でも離脱志向の右翼勢力が拡大するのは、当然だろう。そこへ中東の崩壊と難民の襲来という外患が迫ったのだから、ＥＵの解体を囁《ささや》く声が聞こえても不思議ではない。

しかし見方を変えれば、これだけの困難を複合的に抱えながら、ＥＵはよくもここまで持ちこたえているといえなくもない。ギリシャは加盟国に留《とど》まり、類似の疲弊国家にも離脱の動きはなく、英国の離脱後に他国で実施された世論調査では残留派が僅かながら増えている。テロに怯《おび》えながらもすでに膨大な量の難民を受け入れているし、ＥＵの規則を曲げることなく、受け入れた難民の人権を守って域内の自由な移動も認めている。外交面では、ロシアを除けば敵対する域外国もない。

ＥＵの粘りは奇跡のようにも見えるが、考えればそもそも、国家の安定は程度の差はあれ、従来の国民国家においても危機を孕《はら》んでいるのが本来であった。英国はスコットランドや北アイルランド、スペインはカタルーニャの分離独立を抑えながら統一を保ってきた。どんな国家も内部に地域共同体を抱え、統治の二重構造を潜在させているのである。

私見だが、国家とは風俗習慣の共通性を基盤とし、それが生む法と制度によってさらに紐帯《ちゅうたい》を強められ、この循環のもとで歴史的に熟成された共同体である。独裁制、封建制、民主制など政治形態も国家を支えるが、国家はむしろそうした政体の変化を乗り越えて同一性を守ってきた。国家の形成と維持は、長い熟成の時間を要するものなのである。

ＥＵの歴史はまだ一世紀にも満たず、それが自分よりはるかに古い諸国家を傘下に置こうとしているわけである。これが解体しないのは、著者が密《ひそ》かに暗示するように、欧州文明の稀有《けう》の伝統があるからだろう。

現にＥＵ再編論のなかに中心を草創期の六か国に限ろうという主張があって、独仏を核とするこの同盟を「カロリング朝欧州」と呼ぶ人がいるという。ＥＵの正当性をカール大帝に遡《さかのぼ》る歴史に求める言説であって、冗談とはいえ事の本質をついているといえる。

いずれにせよ、ＥＵは国家とは何かを問う壮大な社会実験の試みである。それを正面から描く本書が巻末にいたって、しだいに秀抜な国家論の観を呈してゆくのは当然といえるだろう。

〔『毎日新聞』二〇一七年二月二十六日「今週の本棚」〕

行動する政治学者の教養

北岡伸一『世界地図を読み直す――協力と均衡の地政学』（新潮選書）

北岡さんは行動する政治学者である。東大で政治学を教え、多くの研究書とともに啓蒙《けいもう》書の筆を執り、政治学の教科書まで上梓《じょうし》した履歴は完璧に近い。だがこの人は東大在職中に国連大使を務め、現在は国際協力機構（JICA）理事長の重責を負い、これまでに訪れた国は百八か国、理事長として旅した国だけでも五十か国という行動家である。

東大退職後は暫《しばら》く国際大学の学長に任じ、世界の留学生を育てるという、学問と国際交流の重なり合う仕事にも就いた。面白いのはこの人の場合、略歴の一々が整合的に繋《つな》がって、現在の活躍を支えていることだろう。東大時代の留学生がウクライナの外務省にはいり、訪れた恩師を出迎えたばかりか、まもなく東京に駐在するという。またツバルでもサモアでも、さらにタジキスタンでも国連大使時代の相手国代表が要職に就いており、JICA理事長と久闊《きゅうかつ》を叙することになる。

この本はそうした著者が身をもって世界に触れ、該博な知識を緻密に盛り込んで書いた「歴史」地図である。地図は見えるが、歴史は見えない。読んで胸躍るのは、ここにはその見えないものが活写され、見えるものの姿を奥深くしているからである。とりわけ魅惑的なのは、著者が知的な俊英であるだけでなく、教養豊かな文化人でもあって、そのまなざしが各国をそれぞれ個性的に捉えていることだろう。

端的にそれが表れたのがウクライナとアルメニアの章であって、前者では作曲家のプロコフィエフ、ピアニストのホロヴィッツとリヒテル、ヴァイオリニストのオイストラフとミルシュタインが紹介される。驚いたのは、戦前一世を風靡《ふうび》したエルマン・トーン、そのミッシャ・エルマンもウクライナ人だと教えられたことである。アルメニアではハチャトリアン、カラヤンらが挙げられるが、どの場合も著者がそれらの音楽家を真に愛していることが伝わってくる。

藝術への愛は直観的であり、対象への距離をゼロにするものである。著者はどの国を訪れても必ず心の琴線に触れる対象を発見し、その国と人との距離をゼロにする才能に恵まれている。ロシアのウラジオストクを訪ねれば、大黒屋光太夫に遡《さかのぼ》る日ロ交渉史を想起するのはもちろん、めざとく町の大学の校庭に佇《たたず》む詩碑を発見し、かつてこの地を経て欧州に向かった与謝野晶子の恋心を偲《しの》ぶのである。

これは対象国が必ずしも豊かではなく、瘴癘《しょうれい》の地や紛争国であっても変わらない。コロンビアを訪ねた著者は内戦の惨劇の跡を目撃し、政府に地雷除去の支援を申し出ながら、現地を描く文章は意外に明るい。ここでしか生きられない現地人にとって絶望は無意味であり、それと一体化して国情を見る著者にとっても同じなのだろう。そしてこの国で、著者はフェルナンド・ボテロ美術館を訪れ、作家ガルシア・マルケスに思いを馳《は》せる。

この本に登場する国は、ウガンダ、アルジェリア、南スーダン、エジプト、ザンビア、マラウイ、ブラジル、パプアニューギニア、ベトナム、ミャンマー、東ティモールなど、文字通り地球全体に渉《わた》っている。だがこの本はそれらを大仰に鳥瞰《ちょうかん》し、現代世界の政治的全体像を描くことをみずからに禁じている。書かせればこの人を措《お》いてない適任者が、あえて米中の宿命的葛藤にも、主導国不在の先進自由社会についても触れていない。

その代わり、全篇に浮かび上がるのは、人々が泣き笑い、伝統文化に親しむ生活空間としての国と地域である。それを眺める著者の眼は、いわば温かい現実主義に貫かれている。国土の地形構造から分断を招きやすいタジキスタンについては、現在の統治者がいささか権力主義的であることを咎《とが》めない。民主化途上のミャンマーに関しては、そのロヒンギャ問題で政府への制裁を急がず、当面、被害者の救済に全力を集中しようと判断する。

あくまでも建設的に、統治者の感覚で世界を見る北岡さんだが、そうして見渡すと現実は思ったより希望が持てることがわかる。

私が喜んだ報告は数多いが、第一はエジプトに「日本式小学校」を輸出する話である。大統領の要請のもと、JICAの援助で、「生徒が教室を掃除する」小学校を全国に新設するという。日本人の公徳心、それを養う躾《しつ》け教育に感銘を受けた外国人が、日本文化を根底から受容しようというのである。

もう一つ嬉《うれ》しかったのは日本国内の話で、過疎の島、島根・隠岐の海士《あま》町がJICAの支援を受け、国際交流に活路を見出している現況である。要は外国の留学生を町に誘い、教師も町外から招くアイデアだが、その教師に青年海外協力隊の卒業者が参加したのが鍵となった。アイデアも成功したが、北岡さんが共感したのは関係者の根性である。町では唱歌「故郷」を歌うとき、「志を果たして、いつの日にか帰らん」の一節を変え、「志を果たしに」と歌うのだそうである。北岡さんの共感は、まさに私の共感でもある。

〔『毎日新聞』二〇一九年六月二十三日「今週の本棚」〕

道徳色を排した現代の幸福論

ジョナサン・ラウシュ『ハピネス・カーブ――人生は50代で必ず好転する』（多賀谷正子訳、ＣＣＣメディアハウス）

「幸福論」の時代は過ぎ去ったと思っていた。幸福という曖昧で主観的な尺度で人生を測り、幸福になるにはいかに生きるべきかを考える時代、あのカール・ヒルティやアランの黄金期は遠く過去になったと思い込んでいた。

人は幸福を語らなくなって、代わりに所得や健康、家や車、子供の成績といった、具体的な価値基準で人生を測るようになった。とくに健康は重視され、血圧、血糖値、肥満度などの数値が人生の努力目標に化したというのが、長く私の先入観になっていた。

だがこの本を読んで、それが私の無学のせいにすぎず、現代もアメリカを中心に、幸福は重要な人生の価値基準であることを知って驚いた。今では幸福論の担い手は心理学者、経済学者に移り、厳密な統計学の手法による考察が進められている。全世界を対象に膨大なアンケート調査がおこなわれ、それを処理した興味深い結論が出されているらしい。

　要点を先にいえば全世界の多様な国で、幸福の度合いは年齢に応じて同じU字型の曲線を描き、四十歳代〜五十歳代がもっとも幸福度が低いという結果が出た。米、英、独の先進国でも中南米、中国、ロシアでも、社会の状況と無関係に、この「ハピネス・カーブ」はほぼ正確に同じ軌跡を示したというのである。

　普通、中年といえば人生の円熟期であり、地位も業績も頂点をきわめ、余命にも恵まれて幸福度は最高だろうと思われる。それが正反対のデータが得られたというので、著者のラウシュはまず発表した何組もの研究グループの面接取材を試みた。というのは著者自身がまさに中年の盛りを過ぎ、ジャーナリストとして年齢相応以上の成果を上げながら、なぜか言い知れぬ不安と失望を実感していたからである。

　どの研究者からも合理的な回答を受け、説得された著者はさらに身辺に注目を向け、みずから同世代の悩める男女と人生相談を始める。驚いたことに中年の告白はあまりにも似ていて、青春期の奮闘のわりに現在の収穫が乏しく、しかも一家を成したために、その不満を誰にも語れないという思いに悩んでいた。長い本の大部分をこの対話が占めるのだが、そこには著者の秘密が隠されているのである。

　私も半信半疑で読み進んだが、どうやら中年の心の危機は客観的事実であるらしい。解説の田所昌幸氏によると、日本では危機の終わりが遅く、U字型カーブがL字型を描くという説もあるという。その事実を自覚していない日本人が多いと思われるが、著者によるとまさにそれが問題の本質なのである。

かつて人類は青春という概念を持たなかった。十代後半には仕事に就き、その年代特有の悩みや不安を誰にも注目されず、青春は不幸な空白時代であった。現代では中年がその空白期にあたり、多くの人が苦しみながら自他ともにその事実に気づかないでいる。

だとすれば問題の解決もわかったようなもので、社会が中年を危機の年代だと認め、その不幸をともに分け持つことが鍵になる。つまりは著者が実践した身の上相談を広く制度化し、悩みを語れない悩みを解消することが手がかりになる。中年自身は狷介《けんかい》な自尊心を捨て、社会は中年を引き込んで、互いにみずからを語り合う習慣を養うべきだろう。

巻を伏せて、幸福論が伝統的な道徳色を捨てたという感慨を覚えた。幸福は内面の自律の問題であり、「幸福とは美徳」そのものにほかならないという哲学は廃れ、その座を社会福祉に譲りつつあるようである。

〔『毎日新聞』二〇一九年七月二十一日「今週の本棚」〕

「作る」ことに恵みとして与えられる美

佐々木健一『美学への招待　増補版』（中公新書）

長らく「真・善・美」という価値基準があった。だが現代、真は科学の専門分化によって難解となり、一般人の参加を許さなくなった。善は宗教的な禁忌が解けて、人が罪の自覚を失うとともに、語る人が少なくなった。ひとり美だけが生き延びたらしく、「カワユイ」「ウザイ」「カッコイイ」などと、感性的な価値判断が人口に膾炙《かいしゃ》している。

ところがその美の世界の中心に立ち、美学と藝術学を専攻する著者は、むしろ危機感に満ちた表情で筆を起こす。著者によれば、近代に感性を一元的な原理として誕生し、美と藝術を統一的に捉えてきた「美学」はすでに崩壊したからである。なにしろ藝術は感性ではわからないもの、「醜いもの」を含むようになり、二十世紀以降、藝術ファンを二分しながら全体として変質を遂げている。一方、感性はセンスと呼び換えられ、スポーツや日常風俗の批評原理にまで拡張された。

この転換期に、著者は恐るべき博識と柔軟な理解力を披露し、転換期の前後をそれぞれみごとに説明する。視野の広さは歴史の縦横に及び、たとえば近代美学の萌芽《ほうが》をカスティリオーネの「廷臣論」に見たりする。宮廷での昇進が出自よりも本人の魅力によって決まる時代になり、人が魅力を意識し始めたところに美学の背景があるというのである。

この社会学的な観点は一貫していて、近代美学の終焉《しゅうえん》もまた二十世紀の文明の変化、産業化の飛躍、グローバル化、複製をはじめとする情報技術の発展などから説明される。

一九一七年、M・デュシャンは「泉」と題して、大量生産の便器を美術展に出品した。六四年、A・ウォーホルは商品の段ボール箱を複製して、それを自分の作品だと自称した。本質的には二つは別のものだが、ともに従来の素朴な鑑賞者を辟易《へきえき》させるには十分だった。今ではいわゆる伝統的な藝術だけを愛するファンが、同時代の藝術の愛好家を上回るという、歴史上これまでにない珍事が起こっている。

著者の蘊蓄《うんちく》は小評では紹介しきれないが、古くは美術館の淵源《えんげん》、オペラ劇場の起源、遠近法を応用した最初の舞台装置、さらにミューズの女神九柱の個別名、「第六感」を最初に語ったのがシャフツベリーだったという逸話など、ほとほと驚嘆のほかはない。新しくは現代の十二音音楽について、具体的な技法を詳しく解説したうえ、アンチテアトルの代表作『禿《はげ》の歌姫』をめぐっては、誤解にもとづく滑稽な演出の歴史を語るありさまである。

博識はそれ自体で読むに値するが、この著者にはそれが自己の思考を進める独自の方法になっている。この人は思いつきが一気呵成《かせい》に展開するのを嫌い、あえて身辺の「問題の列挙」に立ち寄って、結論に向けた包囲陣を敷くことを好んでいるように見える。

巻の半ば、著者は難解な現代藝術作品を理解するために、作家の意図ではなくて、作品そのものに内在する意図を探ることを提案する。"in-tension"と呼ばれるそれは、作品が内に孕《はら》む緊張であり、ゲームの隠れた規則であって、一瞬に総合的に働く感性によって直接に把握できるものである。これは魅力的な発想だし、敷衍《ふえん》すればこのまま結論にもなりそうに見えるのだが、著者はそうはしない。

また現代、何が藝術かを決める基準についても、「アートワールド」という興味深い概念を紹介する。藝術家、評論家、学者など、専門家の共同体の総意のことだが、これも著者は注目するに留《とど》めて結論とはしない。

上梓《じょうし》から十五年、版を重ねてついに増補版に達した本書だが、二章にわたる今回の大幅な増補の最後の最後に、ようやく私の期待するこの著者の結論があった。例の如《ごと》く現代美学の諸学説を渉猟したのちに、著者はにわかに「作る」ことの意義に立ち返るのである。

人は手でものを作るが、ときに標準的な目的の達成で満足しないことがある。必要を超え、事前の設計を超え、手がこれで「よし」という限界まで作り進むことがある。このとき「よし」と見えるのが美なのであって、美は「手の恵み」にほかならないのである。

この「手」は人の意図を超え、作品そのものの内発的現象、著者の先の用語によれば“in-tension”の現れなのだから、作家から見れば「むこうからやってくるもの」「恵みとして与えられるもの」というほかはない。作家は終わりなく手に任せて作り続け、その結果、どこからか恩《おん》寵《ちょう》のように天降る満足、人事は果たしたという達成感が美なのである。

この美学は一面では伝統を支持し、過去のすべての藝術作品を包括しうるとともに、現代藝術と職人技術の大部分を説明できる。一方、悪《あ》しき職人仕事は排除できるうえに、現代藝術のうちで極度に観念的な表現、デュシャンの「泉」も拒否できる利点がある。

ちなみに、人生そのものを「向こうからやってくるもの」、天与の「リズム」に乗せられることだと考える私にとって、これは思いがけなく我が意を得た美学説となった。

〔『毎日新聞』二〇一九年九月八日「今週の本棚」〕

歴史のアイロニーに耐える信念

ダニエル・コーエン『ホモ・デジタリスの時代』（林昌宏訳、白水社）

この本の表題は難しいが、原書の表題は明快である。原題は「時代は変わったというべき……」。副題は「懸念される変化の（うなされるような）編年史」である。明らかにこのほうが、内容を正確に表している。

ちなみに驚くべきは著者の博覧強記であって、全巻に先学の時代批評の引用がちりばめられている。総二百ページの各ページに平均して二編以上、さながら「時代批判史で綴《つづ》る五十年の現代史」というべき観を呈しているのである。

著者自身の現代の把握は、基本的に一種の下降史観に貫かれている。工業化とともに大量生産を興し、テイラー方式の流れ作業で頂点を築いた資本主義は、この五十年間で限界を見せ始めた。多彩な社会変革は試みられたものの、どれもがその内部に矛盾を露呈し、わかったのは資本主義は不幸だが、その代わりになるものはないということだった。

物語はまず一九六八年、パリの学生の反乱「五月革命」に始まる。おりから先進国には消費社会が訪れ、おとなたちは物欲に溺れて安逸と従順の日々を送っていた。これを退屈と感じ退廃と見た若者はパリを筆頭に、世界中で体制転覆の過激な運動を起こした。

当時、著者は十代半ば、多感な少年として体験した事件は今も記憶に新鮮なのだろう。評者の私も米国のヒッピー、日本の新左翼全学連の紛争を目撃して、あの数年間には独特の印象を抱いている。しかし、真相はけっして見た目に現れるものではなく、経済の長い下降はこの六〇年代に始まっていた。

生産性は向上したが、その結果として消費が均霑《きんてん》すると、需要は伸び悩んで企業の利潤は減少した。これはやがて雇用の削減を呼び起こし、社会はしだいに「さらば、プロレタリアート」の時代に移行した。たんに失業者が増えただけではなく、工場で労働者を繋《つな》いでいた階層的社会、それを原型とした社会秩序そのものが信頼を失っていった。

「五月革命」の若者が夢見た新しい社会、階層も権力もない開かれた人間関係が、このとき具体的な代案を出せなかったのは皮肉であった。この夢は遥かに迂回《うかい》して二十一世紀前半、「デジタル社会」の到来によって歪《ゆが》んだかたちで実現した。夢破れた七〇年代の理想主義者は、せめて「共同体生活」に活路を求めて、無残に幻滅するしかなかった。

私産を放棄し、全収入を供出し、はては夫婦関係すらも共有しようという破天荒が、近代社会を経験した常識になじむはずがない。別の背景から生まれたイスラエルのキブツも含めて、結局「共同体主義」なる理想はこの一時代の歴史の挿絵として消え失《う》せた。

「五月革命」の絶対自由主義への幻滅は、他方で政治的なテロの季節を開いた。十年後の七八年、イタリアのモーロ元首相が極左集団に誘拐、殺害され、八〇年には極右武装集団によるボローニャ駅爆破事件が起こった。今世紀まで続いた先進国でのテロの脅威も、想《おも》えばこの時期に端を発していたのだった。

不安と混迷の十年に終止符を打ったのは、レーガンとサッチャーの保守回帰だった。保守派が時流を簒奪《さんだつ》したのは、彼らの自助努力論と伝統的な美徳回復の標榜《ひょうぼう》によってだった。労働者を含む大衆がこれを支持したのは、彼らがプロレタリアートではなく、職人や農民のような自立した存在に憧れていたからだった。もちろん実現したのはこの憧れではなく、格差拡大と個人負債の増大、やがてリーマン・ショックに繋がる世界的な経済危機である。

同じ時期に冷戦終結とソ連崩壊の大事件が起こったが、著者はこれを大衆の付和雷同現象、ポピュリズムの擡頭《たいとう》の背景として指摘する。社会主義と自由主義、二つのイデオロギーが動員力を失ったとき、民衆は多様な小さな思想運動に蝟集《いしゅう》したのである。ル・ペンに代表される欧州の極右勢力は世紀末にかけて伸張し、世紀を越えると英国のＥＵ離脱、トランプの煽動《せんどう》政治となって徒花《あだばな》を開いたのだった。

繰り返す歴史のアイロニーのなかで、しかし最大のものは現代の「革命」、電子通信機器の飛躍かもしれない。国家も階級も超えて個人を直接に結び、自由な空間を開いたという意味で、これは「五月革命」の夢の到来のようにも見える。ロボットと接続した電子機器は第三次産業を拡大し、人間を物質あいての労働から解放するともいわれる。

だが実際は、モノを構想し商品化する労働が優遇される半面、第三次産業の大半を占める「フェイス・トゥ・フェイス」の仕事は冷遇される。電子産業の内では雇用と利益は背反するから、労働者を激減させた「GAFA」と呼ばれる四大企業が市場を独占した。電子機器の利用者は逆に機械に服従し、中毒症状を呈して「私」の喪失に瀕《ひん》している。

下降史観もここに極まったように見えるが、感動させられるのは、著者がそれでも投げやりにも捨てばちにもならず、電子産業の規制や未来世代の教育に期待するなど、アイロニーに耐える小さな努力を信じていることである。

〔『毎日新聞』二〇一九年十一月十日「今週の本棚」〕

「わかる」ことの悲劇と救い

トーマス・ベルンハルト『破滅者』（岩下眞好訳、みすず書房）

「わかる」ことは、人を孤独にする。わからないすべての他人を敵に廻《まわ》し、わかり知る密室に閉じこもることになるからである。

とくにわかる対象が自然物ではなく、人間の知恵や才能である場合、事態は致命的な悲劇となる。他人の優越がわかればわかるほど、人は自分にはそれができないことが切実にわかり、自分自身をも見下して、孤独を深めるほかはない。

もっと悪いのは、しばしばわかる人は当面の好悪の対象だけでなく、あらゆる世事について独特の趣味判断を抱くことが多い。音楽の深奥《しんおう》をわかる人は、万事につけてあたかも音楽を聞き分けるかのように、とかく過度に繊細で狷介《けんかい》な態度をとりがちになる。

ベルンハルトの小説集『破滅者』は、二編の中編作品、表題作と「ヴィトゲンシュタインの甥《おい》」からなっているが、いずれも要約すればこの「わかる」人の「わかる」がゆえの悲劇だといえる。二作とも主人公がわかるのは音楽だが、尋常ならぬわかり方が彼らを狂わせ、ついには自殺へと導いてゆく。

「破滅者」の人物はピアニスト、グレン・グールドとその同門の友人、それに「私」の三人だけ、「ヴィトゲンシュタインの甥」では当の甥と「私」の二人しかクローズ・アップされない。この設定そのものが巧妙であって、登場人物の孤独と閉鎖感が他の添景人物との対比において浮き彫りにされる。

もちろん話者の「私」も孤独な一人だが、狂って死ぬのは前者では最後までグレン・グールドと技を競った友人であり、後者では大哲学者の甥に生まれて別の道を選んだ音楽通である。どちらも孤独な天才の傍らにいて、その孤独を共有できないとわかるがゆえに、いやがうえにも孤独に沈む悲運の才能である。

グレンは「ゴルトベルク変奏曲」を偏愛して、ベートーヴェンもショパンも軽蔑していた。自殺する友人も好みを同じくしながら、その演奏能力を同じくしえず、しかもその屈辱を痛いほどわかる能力を備えていた。ヴィトゲンシュタインの甥もやはり天才を身近に持って、その事実を痛切にわかるがゆえに、みずからも天才であるべしという強迫観念に迫られる。眼高手低を宿命とする二人は、わかる感性とできる技能との乖離《かいり》と、その現実がわかることによって追い詰められる。

本来、心の苦痛は自分を表現することで救われるものだが、彼らにはそれもできない。表現はわかってくれる適切な相手を期待して営む行為だが、わかる人はわかる内容が深ければ深いほど、始めから他人にはわからないという思いに妨げられるからである。

見るからに息づまる孤独の深刻さだが、作者は「私」の話法そのものによってそれを見守る苦痛を活写する。まず「ヴィトゲンシュタインの甥」では、邦訳百四十ページに改行が一箇所もなく、「破滅者」では冒頭の三節を除いて二百ページに改行がない。

当然、話者の叙述には過去、未来の分節がなく、物語としての時間構成が失われる。全篇、話者は思い出を思い出すままに呟《つぶや》くのであって、自動記述法（オートマティズム）に似たこの文体が狂気の進行の閉塞《へいそく》感に重なり合う。また世間の健全者の傲慢、俗物性への激怒を示すべく、あえて叙述の反復、混乱を隠そうとしない。

文体が直接に主題を表現する前衛的な手法がみごとだが、その厭世《えんせい》観も読み終わると救いがなくもない。人は誰しも自分だけにわかる何ものかがあるわけで、狂気には到らなくともその意味で人生共苦のなかにいるからである。

〔『毎日新聞』二〇二〇年一月十二日「今週の本棚」〕

なつかしい一冊

ベルクソン『時間と自由』（中村文郎訳、岩波文庫）

この本を最初に読んだのは、昭和二十年代末、十代の終わりのころであった。私は学部の卒業論文を書いていて、その主題がこの本を重要な先行研究とするものだったからである。原題は『意識に直接に与えられたものについての試論』、著者の序言の表明を受けて、世界中で『時間と自由』と翻訳されることになったらしい。卒論の資料だからたどたどしいフランス語で読んだのだが、助けを仰いだのは当時の服部紀訳の岩波文庫版だったと思う。

読後の第一印象は驚天動地、文字通り目の覚める思いだった。常識で知る時間の観念を完全に覆し、時間の真の姿を生き生きと実感させる本であった。時間とは時計の針が刻む等間隔の長さの集合ではなく、量の比較を許さない純粋に質的な感触として現れる。時間は流れであり運動であって、弾みつづける力動感の持続である。それは生命そのものの流れだから、止めて分析しようとすれば、解剖された生命体のように死んでしまう。
嬉《うれ》しいことに、この考え方は私の素朴な時間感覚をぴたりと裏付けてくれた。実感によると、時計の計量とは関係なく、潑剌《はつらつ》と緊張した時間は速く流れ、退屈に弛緩《しかん》した時間は遅く流れる。持続とは弾みあがる緊張のことだというベルクソンは、この実感こそが時間の本来の姿だと喝破してくれたのである。

意表を突くのは、彼の自由論であった。人間、不自由なのは空間のなかで、たえず岐路に立って選択を強いられているからである。純粋持続に身を任せて、現在の一瞬がつねに次の瞬間を先取りしているような流動、選択の余地ない流れを生きていれば、はなから自由・不自由の問題はありえないというのである。

卒論提出から六十余年、私はベルクソンを座右の師として、これを乗り越えることを夢見つづけてきた。二〇一八年、長編評論『リズムの哲学ノート』（中央公論新社）を上梓《じょうし》することができたが、これも前半、純粋持続の哲学と格闘することから始まっている。思えば一人の思想家の一つの着想が、遠国の一学生の生涯を魅了したのは稀有《けう》の奇縁だろう。だがそれをいえば、純粋持続はその発案者その人の心を捉え、八十年の著作活動の最後まで放すことがなかった。『物質と記憶』『創造的進化』など、旺盛な筆力を見せたベルクソンだが、その主題は一貫して同じであった。こういう奇蹟《きせき》のような着想だけに、哲学に無縁な読者にも一見をお薦めしたいと思う。

〔『毎日新聞』二〇二〇年四月十八日「今週の本棚」〕

意識的な差別を拒絶した後に

ルース・ベネディクト『レイシズム』（阿部大樹訳、講談社学術文庫）

左利きのための鋏《はさみ》が発売されたのは、二十世紀も半ばのことであった。私の幼年期、親も学校も左利きの子を右利きに矯正する教育に励んでいた。私は眺めていただけだが、今の基準ではあれは無意識の差別だった。

一九四〇年、世界はきわめて意識的な差別感情に襲われ、差別をめぐる大戦の渦中に脅《おび》えていた。新しい差別の口実は「人種（レイス）」と呼ばれ、十九世紀末に遡《さかのぼ》る似非《えせ》科学を根拠としていた。従来の宗教的異端、階層差や言語、風俗にもとづく差別とは異なり、人種は肌の色や頭蓋《ずがい》骨《こつ》の形態など遺伝形質に注目する点で、差別はかつてなく宿命的な重みを増すことになった。著者はこの時期に本書の筆を執り、人種差別の無根拠を暴き、欺瞞《ぎまん》に反対する史上最初の人となった。

当然、筆法は論争的となり、ナチスの掲げる「アーリア人種」が虚構にすぎず、歴史的にも人類学的にも破廉恥な嘘《うそ》であることが暴露される。ユダヤ人迫害が異教排斥でも異文化排除でもなく、じつは殺害を伴う財産強奪にすぎなかったことも告発される。第二次大戦の勃発はその前年だから、著者の主張は結果として、連合軍の対独開戦の理論的根拠、宣戦の理念の表明にもなっている。

だがその後の著者の本旨を辿《たど》ってゆくと、やがて人種差別はナチズムのような世界観ではなく、もっと曖昧な因襲に根ざして芽生えた悪徳だったことがわかる。古典といえるゴビノーの『人種不平等論』も、未来社会への展望を欠いた、凋落《ちょうらく》貴族の憤懣《ふんまん》の吐露にすぎなかった。肌の色で差別された最初の人種はアメリカ先住民だが、迫害した英国系白人には人種差別の理論などなく、もっぱら空いた土地が欲しいだけであった。

もっとも人種差別の真の怖さはこの非論理性にあって、駁論《ばくろん》によって排除できないという点にあるのかもしれない。著者は巻末に近づくと、差別を生む社会的な土壌の側に目を向け、それを防ぐべく福祉政策の必要を説いている。黒人差別が貧困白人のあいだで強いという事実に鑑みると、福祉は差別集団を含む全国民を潤さなければならない。人々に平等を保障する民主主義と、それに原資を供給する「ソーシャル・エンジニアリング」、国土建設、土壌保全、医療や教育、国民購買力の向上をめざす政策が不可欠になる。

いずれもニューディール時代の政策であって、著者はいかにも「時代の子」として誇り高く巻を閉じている。少なくともこの著書に関するかぎり、高説の内容に隙はなく、現代にも適用可能な社会理論として、新訳に値する成功を収めたことは間違いない。

一方、差別問題そのものは本書が古典となった現在、近代が世界化するなかでむしろ複雑化し、先に触れた無意識の差別、左利きの矯正を犯し始めていないだろうか。近代化は価値の体系だから、多様な「後進」文化の価値観と衝突し、無意識どころか、善意によってそれを抹殺する危険を秘めている。じつは著者の専攻する文化人類学も、前近代文化を主な対象として、客観的に観察する旨を標榜《ひょうぼう》している。だが文化は自然現象ではないのだから、客観的に観察する姿勢はそれ自体、正当なのだろうか。とりあえず人類学は異文化を語る古老を情報提供者（インフォーマント）と呼ぶのをやめ、「お師匠さん」と敬うべきではないだろうか。

〔『毎日新聞』二〇二〇年五月二十三日「今週の本棚」〕

再発見されたこの国の転換

待鳥聡史『政治改革再考——変貌を遂げた国家の軌跡』（新潮選書）

時代とは、そのなかに生きている人間には見えないものなのかもしれない。時代という生きた統一体は、そこから一定度の距離を隔てて、正確な史観と、それを育む思想を持つ人の目にしか映じないものらしい。そんなことを思わせるほど、この本は現代政治史の稀有《けう》の意欲作であり、成功作になっている。

著者によれば一九九〇年代以降、日本では立法、行政、金融、司法、地方自治にわたって、つまりは政治の全体にわたって大改革が進められた。この時代は長らく否定的に捉えられ、「失われた二十年」「三十年」と呼ばれることが多かった。とくに目立った選挙改革については、政治学者にも「熱病」にすぎなかったと切り捨て、時流に乗る一部政治家の暴走だったと矮小《わいしょう》化する風潮がある。

だが著者が見るところ、この間の改革は政治の本質に及び、互いに連携する整合性を帯びて、日本社会を一つの方向へと変えるものであった。その意義は明治の憲法発布、昭和の新憲法制定にも並ぶ、日本近代化の一大前進だったと著者は声を励ますのである。

著者の独自性は、多岐にわたる改革を総合的に捉える視野にあって、個別の変革の成果についてもその観点からの評価を忘れない。たとえば九四年の細川護熙政権下の選挙制度改革は、二大政党による政権交代という理想にはさほど貢献しなかった。だがこれによる小選挙区の実現は政党内の秩序を強化し、派閥の弱体化、選挙公約の党内統一を推し進めた。このことは別途の行政改革における官邸主導の強化、各官庁の権限縮小と一本化に符節を合わせている、と待鳥氏は解釈する。

また日本銀行の大蔵省からの自立、司法における人材補給の拡大と裁判員制度、地方自治体の権限強化と市町村合併。いずれを取っても、そこには国民の一層の政治参加、政権の国民にたいする「応答能力」強化という、一貫した意欲を読み取ることができる。

面白いのは、これらの改革が日本の内発的な発想の産物であって、冷戦終結という世界的な変化にも先だって始まっていたという指摘だろう。改革には設計図となる「アイディア」が重要だが、その設計図が日本の内部から生まれた独創だったというのである。

著者は時間的な展望を拡《ひろ》げ、その背後には六〇年代の論壇の新風、「近代主義右派」の擡頭《たいとう》があったと主張する。近代主義はかねて論壇左派の持論だったが、この時期、政治、社会、国民の気風を合理化し、近代化に導きたいという志向が体制維持派にも拡がった。これが八〇年代に国際派の経済人に受け継がれ、改革に直結したと著者は考える。

細部は紹介できないが、この本はおびただしい資料を博捜し、個別の人物や事件の描写にも怠りがない。だがあくまでも魅力は主題にあって、その主題を著者が間断なく自覚し続けていることにある。力余って若干の繰り返しも目につくが、それも語ろうとする熱意の表れとして快く読むことができる。

じつは評者自身、かねて八〇年代の日本には大きな節目があって、国民の社会心理に転換があったと考えてきた。これと政治改革がほぼ同時期に起こったことの意味を、あらためて考えてみたいという誘惑に駆られている。

〔『毎日新聞』二〇二〇年七月四日「今週の本棚」〕

V

静かで確かな保守主義——京極純一氏を悼む

京極純一氏といえば、会った人なら誰でも思い出すのは、あの黒い縁のついたまん丸の眼鏡ではないだろうか。あの型の眼鏡は戦前の学者や学生が愛用したもので、戦後はめったに見られなくなっていたからである。じつは眼鏡は意外に流行の激しい商品であり、今でも十年も経《た》つと、古いデザインのものを手に入れるのはかなり難しい。京極氏が八十年近くにわたって、あの同じ種類の眼鏡をどのように調達されたのかはわからないが、これは相当に特筆すべきことがらなのである。

あれはいったい、氏の静かな保守主義の主張だったのか、謹厳実直な人柄の表れだったのか、軽佻《けいちょう》な流行を嘲笑《あざわら》うお洒落《しゃれ》心の徴《しる》しだったのか。今になって振り返ると、この三つはいずれも当たっていて、あの眼鏡こそ氏の象徴だったように思えてならない。

初対面は、いささか異様な雰囲気のなかであった。一九七〇年前後、時の佐藤政権は二つの大問題を抱えて苦闘していた。一つは沖縄返還の日米交渉、もう一つは世界的に荒れ狂う学園紛争である。おりから総理首席補佐官だった楠田実氏は、これを機会に政権と学界の提携を計ろうと考え、京極氏や高坂正堯《こうさかまさたか》氏をはじめ、多くの学者を官邸に呼び集めた。その一員として私も学園紛争対策の立案を命じられ、京極氏、衛藤瀋吉《しんきち》氏との三人委員会に席を並べることになったのである。

三人委員会とはいえ、お二人は私より十歳も年長であり、それぞれ後輩に厳しいと評判が高かったので、私は密《ひそ》かな覚悟を固めて会議の席に就いた。だが意外にも京極氏はむしろ礼儀正しく、斜対等の姿勢で私の発言に耳を傾けてくださった。また世評では氏は世間の雑事には冷笑的で、斜に構えた判断しかされないと聞いていたが、これも事実とはまったく違っていた。会議は大いに実務的、積極的な空気のなかで進み、「東大入試の一年中止」という歴史的結論を生んだ。

その後、氏は『日本の政治』という長編評論を発表され、この国の政治家像を半ば風刺的に、いきいきと描き出された。これは政界の月旦《げったん》批評でもなく、政治家の信条風俗を冷徹に活写した研究として、いまだ類書をみない名著である。感銘を受けた私はこれを推輓《すいばん》する書評を発表したところ、驚いたことに旬日を経て便箋十枚を超える丁寧な礼状を頂いた。

もっと驚いたことに、そこには氏が公的にはけっして洩《も》らされない研究上の悩み、学界内での鬱屈《うっくつ》や批判を含む私情が綿々と綴《つづ》られていた。これと前後して私は氏との親交を深め、設立当初の「サントリー文化財団」へのご協力もお願いしていたのだが、氏はどんな場でも私情は絶対に口にされる方ではなかっただけに、これは永く印象に残った。

学者として氏に教わったことが多いが、今も銘記しているのは、「どんな理想も実現過程が示されていないものは信用できない」という一言である。戦前、戦後のイデオロギー時代を生き抜いた賢者の実感だろう。

私生活での氏は、人も知る愛妻家だった。財団の事務局では、京極夫妻の仲の良さは今も語り草になっている。社交の場では厳格なまでに礼儀正しく、本人をお祝いするある会合では、延々、三時間に及んで立ち通された姿が心を打った。だが何より人柄を示すのはそのご最期、ご健康の事情もあったとはいえ、十年にわたって世間との交わりを断ち、潔癖きわまる隠棲《いんせい》を守られたことかもしれない。

〔『毎日新聞』二〇一六年三月三日夕刊〕

富士山を故郷に持った詩人――大岡信さんを追悼する

「富士山を故郷に持つと困るんだ」

あるとき大岡さんはぽつりと述懐したが、言葉とはうらはらに、表情はあまり困っているようには見えなかった。

大岡信さんは、伊豆半島の付け根、静岡県三島市の出身である。ということは、いわばあの霊峰を里山として眺め、その伏流水を集めた柿田川で産湯を使った人だといえる。景勝地を故郷に持つ人は多いが、現代詩人にとってこればかりはただごとではない。

万葉の昔から近代にいたるまで、富士山は日本人の心のなかで、ほとんど特権的といえる聖性を秘めた山であった。山部赤人をはじめ、葛飾北斎にとってもラフカディオ・ハーンにとっても、富士山は日本そのものを象徴する表現の主題であった。不幸なことに富士山はまた、それゆえに愛国主義に利用され、通俗的な愛国歌謡のなかで、「金甌《きんおう》無欠」の国体に喩《たと》えられた山でもあった。特権性はとかく通俗性に裏返るのである。

一方、現代詩人は他の現代藝術家にもまして、およそ特権的なもの、通俗的なもの、体制的なもの、ついでに良識的なものを粉砕しようと身構えている存在である。もちろん日本には俳句や短歌の伝統もあり、外国に比べて形式や主題の正統を守ろうとする勢力も強いが、たぶんそのせいでますます前衛をめざす職業詩人の反逆心は激しい。形式の点でも内容の点でも権威ある約束事はすべて破り、日本語の文法や語彙をも拷問の絞め木にかけて、その悲鳴を作品にしようとする前衛詩人も少なくない。彼らにとって、霊峰富士を歌うことなど恥辱に近いはずなのである。

古今東西の詩歌に精通し、同時代の前衛詩人にも相応の理解を持つ大岡さんにしてみれば、富士山を里山に持ったのはたしかに「困った」ことにちがいない。だがそれが現実である以上、人はそれを受け入れるほかに道はない。晩年の詩集『鯨の会話体』のなかで、この人は淡々と「人は山河を背負ふ」ものであること、みずからが背負った山河が偶然にも、「巨大な、暗い、清らかな」伏流水の塊だったにすぎないと歌うのである。

偶然とはいえ、大岡さんは権威にたいして畏怖でも反感でもなく、愛しさと懐かしさを覚える環境のもとに育った。いわば獅子を猫のようにいじらしく感じながら育ったわけだが、そのことが深くこの詩人の世界観に潜んでいるように思われてならない。というのはこの人の心の故郷というべき日本の詩歌は、じつはそれ自体が巨大な霊峰であり、世界的にも特権的な文化遺産だからである。

日本人にとって詩歌は特別な文化財であって、国民の基本的な統合の絆《きずな》だといってもいいすぎではない。万葉集には天皇と農民出身の防人の歌が並び収められているし、歌合わせは宮中の重要な儀式であった。その名残は現代の新年歌会に続き、天皇と一般国民の歌が併せて朗唱される。国家の最高権威と国民が歌を通じて結ばれるというのは、世界広しといえども日本だけの美風だろう。

千年にわたって勅撰和歌集がたびたび編まれ、歌仙と謳われる専門歌人の名も歴史におびただしい。だがそれよりも驚くべきは、詩歌の一般社会への普及であって、ほとんどの武士が死にあたって辞世の句を残した。それ以上に詩歌は社交の具とされ、連歌会、連句会、俳句会といった行事は貴族にも商人にも等しく親しまれた。注目すべきは、こうした詩歌の会では階級の壁がとり払われ、公家の三条西実隆と卑賤の身の宗祇が同席するという風景も珍しくなかった。ちなみに小倉百人一首がカルタ遊びに用いられ、今では一種のスポーツとして楽しまれているのも、日本のほかでは考えられない風俗だろう。

さらに詩歌は短歌や俳句にかぎられず、歌謡のかたちをとって、これまた階層を超えて日本人を魅了した。もっとも有名な逸話は後白河上皇の「今様」好みであって、宮中に神崎の遊女を招いて喉が嗄《か》れるまで朗唱の稽古に励み、はては勅撰今様歌集『梁塵秘抄』を編纂させた。その後も近世初期にかけて「小歌」と呼ばれる歌謡が流行し、なかには『閑吟集』や『隆達小歌』に収められたような、文学的価値の高い作品も作られた。

日本詩歌のこの峻岳《しゅんがく》高峰をまえにすれば、たいていの人は一礼して立ち去るか、それとも専門研究者として身構えるかのどちらかだろう。そのさい専門研究者の立場をとれば、対象を狭くして作家論を書くか、せいぜい短い一時代を精査する態度をとることになる。かたちは様々だが日本文学通史に挑戦した人は、戦後にはドナルド・キーン氏と小西甚一氏と丸谷才一氏の三人だけしかいない。

ここでもまた、大岡さんの選択はユニークであった。もちろんこの人には『紀貫之』『詩人・菅原道真』など作家論の名著もあるが、第三者から見てめざましいのは何といってもあの『折々のうた』だろう。朝日新聞の一面に連載され、後に岩波新書にまとめられたコラムは、総数六千七百六十二回にのぼる。

ジャンルを問わず、時代の順序も問わず、いっさいの体系性を無視して、大岡さんはここで古今の名歌と戯れている。日刊紙の読者を相手に古典を解説し、前衛詩人を紹介するのは困難をきわめたはずだが、簡潔な文章にはいささかの力みも感じられない。「日本の詩歌の常識」を作ることを標榜したこの労作は、それ自体、常識人が常識について語っているような印象さえ与えるのである。

もとよりその底には真の詩的感性が秘められていて、ときに安易な読者を驚愕《きょうがく》させる。一例だけを挙げれば、前田普羅《ふら》の「雪解川《ゆきげがわ》名山けづる響かな」という句を引いて、大岡さんはその「響」という一語に注目する。語彙として「どっしり」としたこの単語が、「名山けづる」という誇張された表現を受けて、「上っ調子」になるのを防いでいるというのである。語感についてのこの感受性に、どれだけの読者が追随できただろうか。

じつはこの言葉への秘められた鋭い感受性こそ、大岡さん自身の作品を読み解く鍵となるものである。誰もが知る通りこの人の詩は一見してわかりやすく、言葉を拷問の絞め木にかけるような荒技はまったく見られない。これが意識的な制作姿勢であることは、『折々のうた』で尾崎放《ほう》哉《さい》の前衛俳句を温かく紹介しながら、一言「猿真似は禁物」と加えていることからもわかる。だが言葉がわかりやすいほどそれを凡庸から分ける才能、微妙繊細な言語感覚が必要であることを、大岡さんの全詩集が証言しているはずである。

この言語感覚の達人があるとき詩歌の範囲を超えて、日本語そのものの啓蒙に取り組んだのが、小学一年生用の教科書『にほんご』である。この本は谷川俊太郎、安野光雅、松居直氏らと共著になっているので、本文の文章のどこまでが大岡さんのものであるかはわからない。しかし全巻を貫く基本思想、日本語に関する考え方がこの人の信念を反映していることは明らかである。その要点はほぼ、三つの顕著な柱からなっている。

一つには日本語への深い愛が披瀝《ひれき》される傍ら、愛国主義的な独善ははっきりと退けられている。日本語の文字が中国で生まれ、無数の語彙が外来語であり、さらに世界では多様な言語がそれぞれに愛されていることが強調される。第二には共通語の根底には方言があって、近年までより身近な言葉として親しまれていたことが、実例を挙げて紹介される。そして何よりも重視されるのが話し言葉の身体性であって、いきいきと明晰《めいせき》に、楽しんで話しあうことが奨励されるのである。

大岡さんが、日常の暮らしの言葉をそのまま凝縮し、朗唱できる詩を書ける数少ない詩人だったこと、海外で外国詩人とともに「連詩」を作る国際人だったこと。思いあわせればこの本には詩人の自作解説の観があるのだが、ここでも結局、日本語は霊峰ではなく里山の一つだと説かれているのである。

〔『中央公論』二〇一七年六月号〕

編集付記

一、本書は著者が二〇一六年三月以降に発表した論考、エッセイ、時評、書評のうち、単行本未収録の三十九篇を集成したものです。

二、初出紙誌名、掲載年月（日）は各篇の末尾に明記しました。

三、算用数字を漢数字に改めたほか、著者のこれまでの書籍の編集方針に沿って、一部、用字の統一を図った場合があります。

装幀　間村俊一

山崎正和（やまざき・まさかず）

1934年、京都府に生まれる。京都大学大学院美学美術史学専攻博士課程修了。関西大学教授、大阪大学教授、東亜大学学長などを歴任。劇作家、評論家。主な戯曲作品に『世阿彌』『オイディプス昇天』『言葉―アイヒマンを捕らえた男』など。主な評論に『鷗外 闘う家長』『演技する精神』『柔らかい個人主義の誕生』『社交する人間』『装飾とデザイン』『世界文明史の試み』『リズムの哲学ノート』など。また『山崎正和著作集』全12巻、『山崎正和全戯曲』全3巻のほか、『舞台をまわす、舞台がまわる　山崎正和オーラルヒストリー』（御厨貴ほか編）がある。2018年、文化勲章受章。2020年8月19日、逝去。

哲学漫想《てつがくまんそう》

2021年2月10日　初版発行

著　者　山崎正和

発行者　松田陽三

発行所　中央公論新社

〒100-8152　東京都千代田区大手町1-7-1
電話　販売 03-5299-1730　編集 03-5299-1740
URL http://www.chuko.co.jp/

ＤＴＰ　嵐下英治
印　刷　大日本印刷
製　本　小泉製本

Published by CHUOKORON-SHINSHA, INC.
Printed in Japan　ISBN978-4-12-005389-4 C0010

山崎正和 著

中央公論新社刊

【中公文庫】

柔らかい個人主義の誕生 消費社会の美学

社交する人間 ホモ・ソシアビリス

装飾とデザイン

世界文明史の試み 神話と舞踊

日本人の内と外 〈対談 司馬遼太郎〉

二十世紀を読む 〈対談 丸谷才一〉

日本史を読む 〈対談 丸谷才一〉

【単行本】

リズムの哲学ノート